남킹 스토리 2

남킹

https://brunch.co.kr/@wonmar

소설가. 남킹 컬렉션 #001 - #444 출간을 목표로 합니다.

스페인 알리칸테 거주.

발 행 | 2024-01-15

저 자 | 남킹

펴낸이 | 한건희

펴낸곳 | 주식회사 부크크

출판사등록 | 2014.07.15(제2014-16호)

주 소 | 서울 금천구 가산디지털1로 119, A동 305호

전 화 | 1670 - 8316

이메일 | info@bookk.co.kr

ISBN | 979-11-410-6664-2

본 책은 브런치 POD 출판물입니다.

https://brunch.co.kr

남킹 스토리 2
브런치 스토리

남킹

목차

마르 데페스에게 이 책을 바칩니다.

남킹 컬렉션

버스 민폐녀

잠을 설쳤다. 기대 반 우려 반. 설렘 반 긴장 반.

맞선이 있는 날.

<이루리> 결혼정보회사의 13번째 공식 소개팅. VIP 고객인 내게,
걸맞은 남자의 신상이 펼쳐져 있다.

41세. 한국항공우주연구원. 미국 유학. 키 177cm. 몸무게 77kg. 수
도권 아파트 소유. 교육자 집안. 취미는 독서와 등산. 호감형 얼굴.
연봉 일억 이상.

나는 밥을 먹는 둥 마는 둥 하고 서둘러 단골 미용실인 <버르장머
리>에서 곱게 단장을 했다. 거울에 비친 나의 우아한 모습. 비록 서
른아홉이지만 이십 대 중반이라고 해도 다들 수긍할 정도의 동안이
다. 물론 들창코는 살짝 손을 댔다. 눈도 하는 김에 같이 했다. 그러
다 욕심이 생겨 가슴, 허벅지도 쪼끔, 스치듯 손을 봤다.

나의 전담 커플 매니저인 나직방 님의 줄기찬 요구에 어쩔 수 없이
압구정역 7번 출구 <오똑한코 성형외과>에 거금을 투자했다. 결과
는 매우 만족. 다들 잘 뽑았다고 난리다. 문제는, 나의 서글픈 은행
잔고. 겨우 일백만 원 정도 남았다.

자본주의 사회에 이건 그야말로 <인생 밑바닥>의 다른 이름. 저절로 한숨이 나올 수밖에 없는 상황이었다.

사실 이 모든 비극은 그놈의 탁상용 카렌다로부터 시작되었다.

사장 친척이 운영한다는, <바나나 저축은행>이 곳곳에 요란하게 새겨진 작은 달력. 달력 뒷면에는 예외 없이 유럽의 어느 멋진 풍경이 나온다. 뭔가 고풍스러우면서도 고상하고 멜랑콜링하면서도 친근한 거리와 카페, 교회. 하지만 나는 무심히 그냥 쳐다볼 뿐이었다. 적어도 그 어느 날 까지는 말이다.

나는 한때 열렬한 비혼주의자였다. 하지만 다른 비혼주의자 여자들과는 좀 달랐다. <혼자 사는 삶이 더 행복할 것 같아서> 혹은 <다른 사람에게 맞춰 살고 싶지 않아서> <자녀를 양육할 자신이 없어서> 같은 흔한 이유가 아니었다. 그 반대였다.

한마디로 <자유연애>. 나는 여러 놈들과 자유롭게 사랑을 나누고 싶었다. 나는 늘 입버릇처럼 말했다.

"인생 뭐 별거 있어? 한순간인데. 그냥 즐기면서 사는 거지 뭐."

그리고 나는 이를 뒷받침할 만한 대단한 자신감이 있었다. 컴퓨터 공학과였던 나는, 과에 몇 안 되는 여자 중 최고의 엘프녀였다. 놈들이 매일 침을 질질 흘리며 나의 꽁무니를 따라다녔다. 나는 이쁘기만 한 것도 아니었다. 똑똑하기까지 하였다.

학내 최고의 자바(Java) 전문가. 졸업 전에 이미 내로라하는 소프트웨어 경진대회를 휩쓸고 다녔다. 그러니 국내 굴지의 IT 업체 스카우터들도 귀찮게 나를 따라다녔다.

입사 후에도 나의 명성은 줄지 않았다. 오히려 뻥튀기처럼 늘어났다.

<독사>. 나의 별명. 한번 컴퓨터 책상에 앉으면 기본 15시간은 꼼짝없이 프로그래밍만 하였다. 버그 없는 완벽한 소프트웨어. 사용자 요구(Needs)에 딱 들어맞는 최상의 인터페이스. 최고의 속도. 탁월한 보안. 효율적인 데이터베이스.

나는 이 모든 것을 맞추기 위해 회사에서 살다시피 했다. 그렇다고 일만 한 것은 아니었다. 한 번씩 마음에 드는 녀석을 골라 물침대에서 즐거운 시간도 보냈다. 게다가 삐까번쩍한 매장에 들러 고가의 명품도 한 번씩 질렀다. 그리고 사장이나 간부들 꾀어서 오마카세 식당이나 미슐랭 스타 레스토랑에도 들러 인스타그램에 자랑하듯 사진을 올리곤 하였다.

나는 곧 팀장이 되었다. 그리고 우리 개발팀이 만든 회계 프로그램 <척척이>는, 그 해 <베스트 어워드 소프트웨어> 최우수상, <글로벌 SW> 대통령상, <신 SW 상품> 대상을 휩쓸며 시장에서 날개 돋친 듯 팔렸다. 나는 개발 총괄팀장으로 최연소 부장이 되었다.

내 주위의 모든 남자가 나를 받들었다. 나는 회사에서 그야말로 무소불위의 여왕벌이었다. 내 인생의 황금기였다.

그놈의 탁상 달력에 꽂히기 전까지는…. 적어도 그랬다.

자, 이제 달력 이야기를 해야겠다. 그래, 그렇지. 11월 1일. 나는 무심코 10월 달력을 넘겼다. 그리고 본 뒷면의 사진. 프랑스 파리의 어느 뒷골목 광경. 저 멀리 에펠탑이 보였다. 붉은 저녁노을. 노상 카페에는 담소를 나누는 연인의 모습.

나는 멋진 사진이라고 생각했다. 그리고 다음 날, 꽤 끌리는 사진이라고 느꼈다. 그리고 다다음 날, 사진 속 카페의 연인이 부러웠다. 그리고 다다다음 날, 나는 그곳에 가고 싶었다. 그리고 생각해보니 못 갈 이유가 전혀 없었다. 나의 연차만 해도 25일. 거기에 앞뒤로 주말, 월휴 끼우면 한 달. 소위 <파리지앵으로 한 달 살기>가 딱 나왔다. 게다가 두툼한 나의 통장.

나의 해외여행에 회사 사람들은 모두 쌍수를 들고 환영하였다. 모 CF처럼 <열심히 일한 당신 떠나라>였다. 심지어 개발 이사님은 인천 국제 공항까지 나를 배웅하며 눈물까지 보였다.

태어나 처음 가 본 유럽. 모든 게 낯설고 불편했지만, 종일 웃음이 나왔다. 나는 현대인답게 각종 여행 블로그와 유튜버를 통해 얻은 지식을 활용해 첫 한 주일은 신나게 돌아다녔다. 하지만 볼 거 다 보고 먹을 거 다 먹어보고 나니 슬슬 지겨움과 외로움이 찾아왔다.

그래서 하루는 눈 딱 감고 동네 슈퍼에서 간식 정도만 사 와 종일 집에 머물렀다. 그런데 저녁때쯤 누군가가 나의 방문을 두드렸다.

맞은편 집 여자였다. 나를 파티에 초청했다. 값싼 부르고뉴 와인 한 병 사 들고 가 보니 남자 세 명에 달랑 여자 한 명, 나까지 모두 다섯 명뿐이었다. 알고 보니 그 여자의 송별식. 참석자는 모두 같은 집의 사람들. 즉 4개의 방에 여자 한 명, 남자 세 명이 각각 살고 있었다. 조촐한 파티는 새벽까지 이어졌고 나는 와인에 취해 그녀의 방에서 잠들었다. 다음 날 그녀는 헝가리로 떠났고 나는 그 방을 차지했다.

그리고 이어진 나의 멋진 기억들 - 향락, 퇴폐, 탐욕, 쾌락.

한 달이 눈 깜짝할 사이에 사라졌다. 어쩔 수 없이 귀국했다. 하지만 예전의 내가 아니었다. 삼 개월 만에 회사에 사표를 던졌다. 그리고 부랴부랴 짐을 쌌다. 그로부터 7년 8개월 동안 나는 유럽 곳곳을 헤매고 다녔다. 결국 나는 쾌락에 절인 도파민 중독자가 되었다.

하지만 불룩했던 나의 통장이 어느새 종잇장보다 가벼워졌을 때 어쩔 수 없이 나는 돌아와야만 했다. 그리고 할 수 없이 중소 IT 업체에 취업했다. 하지만 나는 일이 끔찍하게 싫었다. 나는 거짓말쟁이가 되었다. 제품 개발에 보름 걸릴 일은 한 달, 한 달 정도의 일은 석 달쯤 걸린다고 말했다. 당연히 얼마 안 가 뽀록날 수밖에 없었다. 그때부터 지긋지긋한 <직장 옮기기>가 시작되었다. 일 년에 여러 차례 짐을 싸고 짐을 풀었다.

어느새 내 나이 서른 후반. 세상을 호령하는 자신감은 온데간데없이 사라지고, 하루가 다르게 발전하는 정보통신업계에서 나는 퇴물 프로그래머가 되었다.

나는 나를 구원해 줄 녀석이 필요했다. 나의 퐁퐁남. 그동안 우스갯소리로 치부하던 설거지론(論)이 바로 내가 꿈꾸는 현실이 되었다. 나는 나의 이력을 화려하게 재포장했다. 그리고 결혼정보회사에 내밀었다.

"우선 인스타에 올라온 모든 해외여행, 명품, 오마카세, 고급 식당, 호텔 사진부터 삭제하세요."

나의 커플 매니저인 나직방이 요구했다. 내가 의아한 표정을 짓자 그녀는 한심하다는 듯한 표정으로 말했다.

"예전에는 벤츠 타고 다니는 남자 보면 다들 인정했죠. 하지만 요즈음은 안 그래요. 다들 카푸어(Car Poor)라고 의심부터 합니다. 무슨 뜻인지 알겠죠? 이런 허영과 사치가 통하는 시대가 아니라고요. 누구나 인정하는 재벌 집 자식이 아닌 이상 삼십 대 여성이 이런 고급 호텔에 명품 사진으로 인스타 도배를 하면 정신 똑바로 박힌 남자들은 쳐다보지도 않습니다. 알겠죠? 제 말뜻을? 대신 책 사진 많이 올려주세요. 도서관 사진도 좋고요. 애완동물은 호불호가 갈리니 일단 피해주시고요."

나는 그녀의 충고대로 수수한 차림의 정장과 평범한 핸드백을 겨드랑이에 끼고 시외버스터미널로 갔다. 그리고 나의 퐁퐁남 후보가 근무하는 대전행 버스에 몸을 실었다. 가면서 잔고를 두려운 마음으로 살짝 들여다봤다. 18만 원. 이걸로 한 달을 버텨야 한다. 내 몸 저 깊은 곳에서부터 한숨이 저절로 새어 나왔다. 후회막급. 쾌락의, 쾌락을 위한, 쾌락에 의한 삶의 뒤 끝은 비천하기 이를 데 없다. 지금 나는 순수하고 순박한 이에 빌붙어 비루한 삶을 연명하려고 한다.

"인생 뭐 별거 있어? 한순간인데. 그냥 속이면서 사는 거지 뭐."

사실 결혼정보회사에 등록 후, 잠깐이지만 정신을 차린 적이 있었다.

면접 자리에서, 똘망똘망한 눈망울로 나를 응시하며, 스타트업 컴퍼니 사장인 그는 내게 앱 개발 제안서를 내밀었다.

"할 수 있겠어요? 3개월 이내에."
"네. 가능합니다."

나는 미친 듯이 개발에 몰두했다. 정말이지 모처럼 만에 <몰입의 즐거움>을 누렸다.

사장은 매우 만족하였다. 내가 봐도 믿기지 않을 만큼 완벽한 앱이었다. 그는 내게 입사와 함께 회사 지분의 3%를 약속했다. 하지만 나는 목돈을 요구했다. 성형 수술비. 잠깐의 욕심이 나를 구렁텅이로 다시 몰아넣었다.

내가 만든 앱은 그 해 <최고의 독창적 스마트앱 어워드>를 수상했다. 론칭 6개월 만에 다운로드 1억 돌파, 액티브 유저 3,000만을 돌파했다. 재미있는 건 하루에 업로드되는 횟수가 평균 1억 건이었다. 나는 유명 IT 신문 및 잡지 표지를 장식한 사장의 환한 미소를 바라보며 씁쓸함을 감출 수 없었다.

대전에 도착한 나는 강변 옆에 우뚝 솟은 <신세상 타워 오마노 라운지>로 갔다. 나직방이 나를 발견하고 손을 흔들었다. 그녀의 옆에는, 호기심을 잔뜩 담은 표정의 남자가 은은한 미소를 짓고 있었다. 간단한 소개와 함께 주선자는 곧바로 자리를 떴다.

남자는 내게 메뉴판을 내밀었다. 그는 사진보다 실물이 나았다. 호졸근하고 궁상스러운 연구원을 예상했건만 그는 오히려 건장한 운동선수처럼 보였다.

"첫 만남에서 캐비어나 송로버섯 같은, 턱도 없이 값비싼 요리 절대 주문하지 마세요."

나는 커플 매니저의 충고대로 적당한 가격대의 파스타를 골랐다. 남자는 스테이크와 와인을 주문했다. 그는 내가 마음에 드는 모양이었다. 내가 애써 대전까지 내려온 것에 감사를 표하며 다음부터는 꼭 서울에서 만나자고 말했다. 나는 고개를 끄덕였다.

식전 빵과 샐러드가 나오자 그는 물을 한 모금 마시더니 준비해둔 질문을 끊임없이 쏟아내기 시작했다. 나는 그의 물음에 꼬박꼬박 대답했다. 사실 답하기 무척 쉬운 것들이었다. 대부분 가족, 성장기, 직장, 연애 경험, 인생관, 결혼관 등 지극히 일반적이고 상식적인 물음이었다.

와인을 한 잔씩 나누고 메인 요리를 먹는 동안 잠시 침묵이 흘렀다. 나는 그사이 내가 꿈꾸는 결혼 후의 모습을 머릿속에 그려 나갔다. 돈이 제공하는 항목들. 쇼핑, 레스토랑, 피트니스, 여행 등등. 착한 남편이 제공하는 느긋하고 풍족한 물질. 행복한 나의 미래.

"그런데 말입니다."
"네?" 나는 꿈에서 막 깬 공주처럼 고혹적인 미소를 띠며 대답했다.

"제가 수학과 출신에다 외국에서 오랫동안 공부를 해서 그런지는 모르겠지만, 아무튼 초면이지만 꼭 이 말씀을 드리고 싶습니다." 남자는 스테이크의 마지막 고깃덩어리를 꿀떡 삼키고 냅킨으로 입을 닦은 뒤 나를 쳐다보며 말했다.

"네. 무슨 말씀이신가요?" 나는 왠지 불길한 느낌을 받았지만, 짐짓 모른 척 나긋하게 물었다.

"저는 평등주의자입니다. 특히 남녀 관계에 대해서도." 나는 그의 말에 적이 안심되었다. 아니, 오히려 반가움이 앞섰다. 우리 사회 남녀평등만큼 여자에게 기분 좋은 말이 어디 있겠는가?

"저도 전적으로 동의하는 바입니다." 나는 그에게 감사의 미소를 띠며 고개를 끄덕였다.

＊＊＊＊＊＊＊＊＊＊＊＊＊

나는 어떻게 서울 가는 고속버스표를 끊었는지 기억나지 않는다. 심지어 내가 어떻게 대전 시외버스터미널까지 왔는지도 잘 모르겠다. 나는 지금 엄청난 분노에 싸여있다. 나는 대기실 벤치에 앉아 분을 삭이지 못해 부들부들 떨기까지 한다.

"우리 사회 남녀 불평등이 하루빨리 해소되기를 바랍니다." 남자는 나를 사랑스러운 눈길로 바라보며 속삭였다.

"네. 맞습니다. 직장 내 성차별 많이 개선되었다고는 하지만 여전히 차별이 존재하니깐요." 나는 기분 좋게 와인을 들이키며 한없이 너그러운 표정을 지었다.

"그래서 저는 늘 주장합니다. 동일 노동이면 동일 임금 주고 동일 진급하고 동일 휴가 주는 게 맞다고 생각합니다."

"전적으로 옳으신 생각이십니다."

"맞습니다. 이제야 마음이 통하는 여성분을 만난 것 같습니다. 정말이지 오늘 기분이 좋습니다."

"네. 저도 비로소 인연을 만난 것 같아서….."

"모든 것은 공평해야 합니다. 공평하면 분쟁이 생길 수가 없습니다. 예를 들면 이런 겁니다. 자기가 먹은 식대는 자기가 내면 됩니다. 공평하죠. 결혼생활도 마찬가지입니다. 생활비 절반씩 공평하게 내고 육아도 공평하게 하루하루 번갈아 가며 하고 혼수 비용 절반 공평하게 내고 아파트 구매도 절반 공평하게 내어 공동소유하고 각종 세금 부대비용 등등 모든 거 절반씩 공평하게 내면 됩니다. 이 얼마나 평등한 세상입니까! 안 그러습니까?"

"네? 자기가 먹은 식대라고요?" 나는 순간 귀를 의심했다.

"네. 그렇죠. 본인이 내야죠. 당연히. 공평하게. 어떻습니까? 제가 근사한 맥줏집 알고 있는데 2차로 가시겠습니까?" 남자는 일어나 성큼성큼 계산대로 갔다. 갑자기 술이 확 깼다. 내가 헛것을 들었는지 볼을 꼬집어보기까지 했다. 불안이 쓰나미처럼 밀려왔다.

'저놈이 방금 도대체 뭐라 씨불이며 간 거야?'

나는 살며시 화장실로 들어가 시간을 끌었다. 그리고 조용히 나와 라운지 문으로 향했다. 심장이 벌컥벌컥 뛰었다. 하지만 내가 문의 손잡이를 잡는 순간, 누군가가 나를 붙잡았다.

"고객님 죄송하지만, 결제가 안 되었습니다." 올 것이 오고 말았다.
"네?"

종업원이 영수증을 내밀었다. 그곳에는 남자가 먹은 스테이크와 와인 절반 값만 결제가 되어 있었다.

'이 더럽고 치사하고 아니꼬운 새끼!' 순간 나는 끝없는 심연으로 빨려 들어가고 있었다.

'이런 새끼 만나려고 내가 피 같은 돈 끌어모아 수술까지 하다니!'

"그럼 얼마?"

"네. 16만 5천 원 결제하시면 됩니다. 고객님."

앞이 캄캄했다. 손이 부들부들 떨렸다.

'호 혹시 할부 가능한지'라고 물어보려는 순간 어느새 그놈이 내 곁에 다가와 있었다. 나는 지갑에서 신용카드를 집었다가 내려놓고 체크카드를 끄집어냈다. 신용카드는 결제가 안 될 가능성이 컸다. 한껏 자존심이 구겨질 대로 구겨진 나는 이 더러운 개자식에게 그런 치욕까지 당하고 싶지 않았다.

은행 잔고 만오천 원. 나는 지갑을 탈탈 털어 현금으로 버스표를 겨우 마련했다.

나는 버스에 타자마자 등받이를 있는 힘껏 젖힌 다음 쓰러질 듯이 누웠다.

'저 치사한 새끼 만나려고 어젯밤 잠까지 설쳤는데…. 내가 병신 쪼

다 같은 년이지….'

나는 버스 바닥을 있는 힘껏 발로 한번 구르고 눈을 감았다. 마음 같아선 이 버스와 함께 데굴데굴 구르다 콱 처박혀 산산조각 부서지고 싶었다. 초라하기 짝이 없는 존재. 그런데 그때였다. 또다시 누군가가 나에게 말을 걸었다.

"저기 손님. 등받이 조금만 올려주세요. 뒷사람이 불편해하십니다."

눈을 떠 보니 중년의 운전사였다. 그는 공손한 표정과 온화한 미소로 나를 내려다보고 있었다. 하지만 내게 그는 쪼잔한 한국항공우주연구원 새끼와 다를 바 없는 남자였다.

"못하겠는데요. 뒷사람 불편한 게 제 탓입니까? 한껏 젖혀진 이 의자 탓이지!" 나는 버럭 화를 내며 눈을 감았다. 종로에서 뺨 맞고 한강에서 눈 흘긴다. 그 순간 내게 딱 맞는 속담이었다.

"손님, 이 버스는 누워서 가는 리무진 버스가 아닙니다. 일반 버스에요. 조금만 양해해주세요. "

"아니, 애초에 이만큼 젖혀지게 만든 거잖아요! 뭐가 문제에요? 공장에서 이렇게 생산되어서 나온 건데. 버스 제조회사에 가서 따지세요. 씨팔!" 나는 참았던 울분을 토해내듯 사방을 둘러보며 욕설을 뿜어 재꼈다. 그러자 뒷좌석에서 어떤 젊은이가 외쳤다.

"다른 사람 피해가 되니까 그런 거죠. 조금만 양보하세요. 자유라는 게 남에게 피해는 주지 말아야 하잖아요. "

"거절하는 것도 나의 자유야! 이 개자식아!" 나는 벌떡 일어나 녀석에게로 달려들 듯한 표정으로 째려봤다. 그런데 그 순간 나는 놀라고 말았다. 뒤에 탔던 모든 승객이 휴대폰으로 나를 찍고 있었다.

"그럴 거면 리무진 버스 타세요!" 어디선가 누군가가 이렇게 외쳤다.
"입장을 바꿔 생각해봐!" 이런 소리도 들려왔다.
"나이 처먹었으면 그냥 곱게 가!" 저런 소리도 울려 퍼졌다.

"너나 잘해! 이 더러운 관종 새끼들아!" 나는 소리 나는 쪽으로 죽일 듯이 달려들어 나를 찍고 있는 녀석 중 휴대폰 하나를 뺏었다. 그리고 화면을 들여다봤다.

<곧바로업> 앱이었다. 내가 지극 정성으로 만든 앱. 수려한 인터페이스. 편리한 다기능.

촬영과 동시에 실시간으로 페이스북, 인스타그램, 틱톡, 유튜브뿐만 아니라 전 세계 444군데 커뮤니티 사이트와 66군데 무료 동영상 플랫폼에 자동 등록되는 편리하기 짝이 없는 앱. 게다가 음성 캡처와 자동 번역기능까지. 누가 봐도 매력적인 내가 만든 바로 그 앱.

나의 사랑스런 자식 같은 앱이 지금 나를 천하의 몹쓸 <버스 민폐녀>로 만들고 있다.

거짓과 상상
혹은
죄와 벌

남킹 장편소설

남킹 컬렉션 #002

남킹 컬렉션 #004

침해
deep ocean

남킹 SF 장편소설

방귀

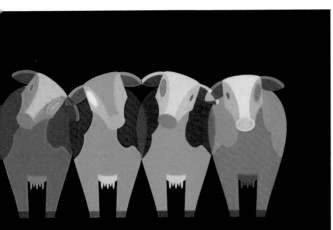

어리석음은 언제나 텅 빈 자들을 지배한다.

아니롯은 기자 출신이었다. 그녀는 가우타를 그냥 보낼 생각이 없었다.

"하지만 이 모든 것이 예정된 것이고, 당신이 알고 있다면, 왜 당신은 바꾸려고 하십니까? 어차피 그렇게 흘러갈 것을…"

"조금은 우스꽝스러운 이야기가 있습니다. 하지만 실제로 있었던 일입니다. 그 사건으로 말미암아, 저는 우리에게 예정되었던 운명을 바꿀 수 있다는 확신하게 되었습니다. 전쟁을 막을 수 있다는 신념 말입니다."

"당신이 바꾸었군요?" 그녀는 흥미로운 듯 가우타의 눈을 쳐다봤다.

"네, 소의 방귀(Fart)와 성마른 대통령의 이야기입니다."

"소의 방귀?" 죽음에서 깨어난 이후, 그녀는 처음으로 미소를 지었다.

"네. 검색해보면 그날의 에피소드를 보실 수 있을 겁니다. 아마겟돈이 발생하기 40년 전의 일입니다. 예언에 의하면 어처구니없는 일로 재앙에 가까운 전쟁이 발생하는 거였습니다…" 가우타는 오래전 그날을 회상이라도 하는 듯, 무심한 표정을 지으며 말을 이어갔다.

"그때 저는 미국 실리콘밸리에서 사업을 시작할 때였습니다. 모든 게 불확실했지만, 사업은 생각만큼 순조롭게 진행이 되고 있었습니다. 꽤 많은 수익을 첫해부터 내고 있었습니다. 하지만 늘 마음속에 두려움이 있었습니다.

바로 예언의 내용 때문이었습니다.

저는 예언자의 따님이 받아 적은 일기장에 적힌 <글을 전달하는 기계>를 팩스라고 추측은 하였습니다. 그곳에는 조급한 지도자가 글을 전달하는 기계가 보낸 잘못된 글을 읽고 분노하여 전쟁을 일으킨다는 내용이었습니다.

바로 그 해였습니다.

저는 막 사업을 시작했고 성공 대로를 달리고 있는 참이라 무슨 수를 써서라도 이 전쟁을 막아보고 싶었습니다. 그래서 대통령과 정치인들에게 여러 차례 팩스를 믿지 말라는 내용의 편지를 띄웠습니다.

하지만 단순히 팩스를 믿지 말라는 내용의 편지를 어느 누가 받아본들 곧이곧대로 믿겠습니까? 단순한 장난 편지라고 치부할 것이 불을 보듯 뻔했습니다.

그래서 결국 모험했습니다. 광고를 냈어요. 우리 회사가 벌어들이는 모든 수익으로 미국 전역에 광고를 냈습니다.

내용은 아주 단순했습니다. <팩스를 믿지 마세요>입니다.

그렇게 두 달이 넘게 광고를 냈습니다. 물론 당연하게도 저희 직원들의 불만이 터져 나왔죠. 얼토당토않은 내용의 광고로 인해 많은 돈을 낭비하니 어쩔 수 없었겠죠…

그러던 어느 날 워싱턴 포스트에 한 기사가 실렸습니다. 그리고 미국 전역이 발칵 뒤집혔습니다. 제목이 <전쟁을 막은 광고>였습니다. 제가 낸 광고로 인하여 미국과 중국의 전쟁 직전 상황이 극적으로 바뀌게 된 것입니다.

그때 깨달았죠. 운명을 우리가 바꿀 수 있다는 것을…"

****

이 모든 것은 소의 방귀 때문이었다.

지방 의회 의원 선거에 출마한 민갑충은 자신의 지지율이 형편없이 낮음에 심기가 불편했다. 투표일을 불과 일주일 남겨 놓은 시점이었다. 그동안 얼마 남지 않은 재산을 모두 쏟아부으며 고군분투하였지만, 이상하게 주민들의 반응은 냉담하기만 하였다.

날이 갈수록 심리적 압박만 더해갔다. 온라인, 오프라인 가릴 것 없이, 참모들이 쏟아낸 각종 아이디어도 모두 무용지물이 되었다. 그는 이제 거의 자포자기 상태가 되었다.

아들 녀석이 우연히 내뱉은 말을 듣기 전까지는 말이다.

"아버지, 가축이 내뿜는 방귀가 자동차가 배출하는 이산화탄소보다 86배 더 해롭다고 그러네요. 헤헤헤."
착한 아들은 침울해 있는 아빠를 돕자는 순수한 마음에 그냥 우스갯소리를 내뱉은 거였다.

그런데 민갑충의 표정이 묘했다. 마치 관속에 들어가는 시체처럼 널브러져 있던 그는 엄청나게 무시무시한 각성제를 맞은 듯 그 자리에서 벌떡 일어나며 다그치듯 아들을 붙잡고 물었다.

"그게 사실이여?"

"그럼요. 다큐멘터리에서 봤어요."

"다큐멘터리?"

"네, 넷무비스에서요."

그날 밤, 그는 그 다큐멘터리를 보고 또 보고 또 봤다. 그리고 열심히 무엇인가를 종이에 적기 시작했다.

다음 날 아침, 그는 선거 참모들 앞에 그 쪽지를 내놓았다.

- 온실가스 농도가 350ppm이면 지구에 위험하다. 그런데 이미 400ppm을 넘었다.
- 지구 온도가 빠르게 상승하고 있어서 공룡이 사라진 이래로 최대의 멸종 위기.

- 지구 온도가 2도 상승하면 가뭄, 기근으로 기후전쟁 발발.
- UN 보고서에 따르면 가축을 기르며 발생하는 온실가스가 모든 교통수단의 배기가스보다 많다.
- 인간이 초래한 기후 변화의 51%는 축산업 때문이다.
- 가축은 지구온난화의 주범일 뿐만 아니라 막대한 자원을 소비하고 있으며 지구 환경을 파괴한다.
- 70억 인류는 하루에 200억 리터의 물을 마시고 952만 톤의 음식을 먹는다.
- 15억 마리의 소는 1,700억 리터의 물을 마시고 6,123만 톤의 먹이를 먹는다.
- 현재 10억 명가량의 인간이 굶주린다.
- 인류가 생산하는 곡식의 절반은 가축이 먹는다.

"어떤가?" 그는 참모들의 눈빛을 하나하나 살피며 의미심장한 미소를 띠었다.

"우리의 정적인 부유한 후보가 뭣으로 돈을 벌었지?"

그제야 다들 고개를 끄덕거리기 시작했다.

"그야 축산업이죠. 이 동네 최대 규모의 현대식 축산 공장 주인이
죠."

"우리는 이제 지구를 구하는 환경주의자가 되는 거야. 아니, 이 동
네를 환경오염에서 벗어나게 할 수 있는 구세주가 되는 거야. 알겠
지? 무슨 말인지."

민갑충 후보는 참석자 한 사람 한 사람을 지적하며 자신의 구상을
지시하기 시작했다.

"자네는 최근 5년간 이 지역에 발생한 오염 관련 기사를 수집하게."

"그리고 자네는 대형 걸개그림을 만들도록 하게. 소가 방귀를 뀌는
모습을 풍자한 그림말일세. 모든 사람의 주목을 한눈에 받을 만큼
우스꽝스럽게 만드는 게 좋을 것 같으이…."

다음날, 거리 곳곳을 장식한 기묘한 그림을 보러 행인들이 모여들기
시작했다. 그림 속에는 소의 엉덩이가 몸통보다 유난히 크게 그려졌

고, 사탄의 모습을 한 검은 가스가 항문에서 뿜어져 나와 사람들을 질식시키는 모습이었다. 그리고 밑에는 다음과 같은 구절이 적혀있었다.

'소가 내뿜는 메탄과 다른 가축의 가스가 전체 인구의 배설물보다 130배 더 많습니다. 환경을 생각하는 민갑충 후보 기호 3번.'

태그도 있었다. #소방귀 #환경오염주범 #멸종주범 #환경파괴

그의 기대는 예상치를 훌쩍 뛰어넘었다. 아니, 가히 폭발적이었다. 각종 SNS를 통해 무섭게 퍼져나간 이 그림은 온라인을 뜨겁게 달구었다. 수십만 개의 댓글이 달리고 온갖 종류의 방귀 사진, 동영상, 그림들이 패러디하면서 전 세계로 삽시간에 퍼져나갔다.

결국 소 방귀 태그는 구골 올해의 검색어로 뽑혔다.

하지만 선거에는 그다지 도움이 되지 못하였다. 민갑충 후보는 유권자 13%의 저조한 득표로 탈락했다.

그리고 그렇게 소 방귀는 세월의 흐름과 함께 자연스레 우리의 기억에서 사라지는 듯하였다. 적어도 그날, 두 강대국 대표가 그렇게 흥분하지만 않았어도, 우리는 방귀가 초래한 이 끔찍한 위기를 맞지는 않았을 것이다. 적어도 말이다.

하지만 운명의 수레바퀴는 파국으로 일찌감치 예정되어 있었나 보다. 마치 쩌그노트처럼, 어리석은 인간은 그 바퀴로 뛰어들고 있었다.

<라스베이거스 미·중 고위급 회담.>

양국 외교부 수장이 모처럼 만에 모인 자리는 전 세계의 이목을 집중시키기에 충분하였다. 그동안 두 나라의 관계는 악화일로에 있었다.

미국은 소련의 몰락과 함께 그동안 절대 1강을 자랑하고 있었다. 하지만 무서운 경제 성장과 어마어마한 인구를 바탕으로 한 중국이 미국의 턱밑까지 올라오고 있었다. 향후 패권을 향한 두 나라의 보이지 않는 냉전이 곳곳에서 불협화음을 내고 있었다.

그렇게 시작된 양국 회담. 전 세계 기자들이 지켜보는 가운데 약 20분 정도의 공개 회담과 이후 비공개 회담을 진행할 예정이었다. 보통 공개 회담에서는, 다분히 형식적이지만 화기애애한 덕담을 양국 대표가 나누면서 시작하는 게 관례였다. 하지만 그날은 아니었다. 외교 의전이 전혀 지켜지지 않았다.

미국이 먼저 포문을 열었다.

"중국은 세계 안정을 유지하는 질서를 위협한다. 소수 민족, 홍콩, 대만의 탄압을 즉각 중지하기를 바란다."
그러자 중국이 반격하였다.

"내정 간섭하지 마라. 너희 나라나 잘해라. 미국 인권은 최저 수준이다. 유색인종 탄압하지 마라."
이 말을 들은 미국 대표는 화를 참지 못하고 카메라에 대고 큰소리로 외쳤다.

"당신들에게 경고하는데, 미국의 반대편에 서는 것은 언제나 큰 대가를 치르게 된다는 것을 명심해라!"

이에 질세라 중국 대표는 벌떡 일어나 미국 측에 손가락을 들어 올리며 거들먹거리는 투로 말을 쏟아냈다.

"너네는 세상을 파멸로 이끌고 있어. 세계 최대 쇠고기 소비국. GMO 옥수수, 콩으로 가축을 키우지. 가축의 배설물 53t이 미국에서 1초에 발생하는 양이야. 1년이면 샌프란시스코 전역을 덮고도 남지. 내가 좋은 그림 하나 보여주지."

중국 대표는 큰 액정의 휴대전화기에서 사진 한 장을 검색하여 기자들에게 보여주었다.

바로 소 방귀 그림이었다.

회담은 그 자리에서 끝장이 났다. 이 모든 게 생중계로 전 세계에 송출되었다. 그리고 바로 그날, 자존심이 무척 상한 미국 대통령은 대중국 전쟁 선포를 하였다.

데프콘 3단계였다. 그리고 중국이 48시간 이내에 공식 사과를 하지 않으면 데프콘 1단계로 격상하고 선제공격하겠다고 선언하였다. 데 프콘 1단계는 미국 역사에 전례가 없는 상황이었다.

긴장의 이틀이 차곡차곡 흘러갔다. 중국 수뇌부의 고민이 점점 짙어 졌다. 그 사이 미국은 발 빠르게 유럽과 동아시아에 군사적 동맹을 맺으며 전방위적으로 압박을 가하기 시작했다.

백척간두의 위기에 처한 중국. 결국 마지막 날, 마감 시간 10여 분 을 남기고 한발 물러서기로 결심한 중국 주석은 신중하게 사과 용어 를 채택하여 팩스로 백악관에 전송하였다.

'Pardon me.'

하지만 팩스를 받아 본 미국 대통령은 심하게 경련하기 시작했다. 자기 눈을 의심하지 않을 수 없었다. 그는 부들부들 떨리는 다리를 부여잡고 지하 벙커로 내려갔다. 그리고 눈물을 흘리며 외쳤다.

"신이시여, 저희를 용서하소서."

그는, 놀라운 표정으로 이를 지켜보던 국방부 장관에게 팩스의 내용을 공개하였다.

흐릿하지만 다음과 같았다.

'Farton me'

남킹 컬렉션 #019

이방인

남킹 장편소설

거리를
비워두세요
남킹 음악 에세이

남킹 컬렉션 #020

아름다운 존재

나는 길게 하품을 하고 기차에서 내렸다. 마치 작은 문을 열고 밖으로 밀려 나가는 느낌이었다. 눈시울이 가득 찬 눈물로 뜨거워졌다.

무척 작은 역이었다. 주위를 둘러보니 나 혼자였다. 겨울의 해는 이미 사라졌다. 어둡고 황량하고 을씨년스러웠다.

나는 깃을 세웠다. 찬바람이 세차게 코끝을 스쳤다. 바람 속에 뭔가 타는 냄새가 났다.

모든 것이 그 상태로 오랫동안 멈춘 듯하였다. 낯설지만 어딘가 익숙하였다. 눈은 생소하지만, 가슴은 이미 품고 있다.

네거티브 필름. 모든 열망이나 희망이 사라진 세상. 도회적 감성은 어디에도 느낄 수 없다.

나는 지금까지 운명을 그냥 그대로 받아들이며 살아왔다. 되짚고 고민하는 불편한 현실과 엄숙함의 영역을 거부하였다. 자신 속의 절대

가치를 부여하고 나머지는 배제해버렸다. 그리고 유아론적인 앎을 견지하였다. 다시 말해 상실의 두려움과 획득의 기쁨을 배제하는 것이다.

나는 노력을 그다지 하지 않았고 기대치를 늘 낮게 잡았다. 자신의 욕망을 낮추는 것. 내가 할 수 있는 최소한의 것만을 하는 것. 늪 같은 단조로운 일상에 길드는 것. 그 어떤 것도 곱씹지 말 것. 억측이나 과장은 그냥 내다 버릴 것. 내 모든 비참을 마주하는 것. 현실과 낭만의 괴리는 애초 존재하지 않는 것.

그것뿐이다. 삶 그 자체를 다른 어떤 것에도 견주지 않았다. 당위를 휴지 조각처럼 내팽개치는 존재.

그저 내가 가진 사치라면, 한 달에 한 번 혹은 두 번 정도, 모르는 여인과 섹스하는 것뿐이었다.

나에게 있어서 하나하나의 섹스는 다른 모든 욕망과 똑같았고 하나하나의 욕망은 다른 모든 사랑의 표현과 마찬가지였다. 만남의 설렘과 그 기억들, 느낌이 내 삶의 행간을 채우고 있다. 결국, 나는 섹스

외에는 어떤 것도 불안과 우울 속에서만 지내게 되었다.

나는 그녀에게 나의 도착 사실을 메신저로 알렸다. 잠깐 답변이 오기를 기다렸다. 하지만 아무런 대꾸가 없었다. 그녀의 대답은, 내가 점점 가까이 그녀에게 다가갈수록 느려지고 짧아졌다.

시간이 조금씩 확실성을 앗아갔다. 기차를 갈아탈 때도 그녀에게 메시지를 띄웠었다.

"대략 30분 정도면 당신 동네 역에 도착할 겁니다." 한참 후에 받은 답은 단 한마디였다.

"네."

나는 목을 움츠리고 서둘러 대기실을 빠져나왔다. 작지만 그런대로 형식을 갖춘 둥근 광장이 펼쳐졌다. 잠든 분수와 외로운 조각상이 중앙에 있다.

하긴 어디를 간들 늘 이런 식이다.

행인은 거의 드물었다. 노랑 등을 단 빈 택시만 차갑게 줄지어 정차
되어 있다. 보이는 것 모두 왜소해 보였다.
세 갈래로 갈라진 앙상한 가로수 길이 어둠 속에 누웠다. 느닷없이
포르쉐 한 대가 거친 굉음을 내며 광장 앞 대로를 지나 우레같은
반향을 안기며 어둠 속으로 사라졌다.

나는 잠시, 어디로 방향을 잡아야 할지 고민을 하였다.

낯선 도시는 늘 생경한 호기심과 다소 번거로운 혼란을 주었다. 나
는 휴대전화기를 꺼내 내비게이션을 들여다보며, 호텔을 눈대중으로
짚어 나갔다.

대략 20분 정도 걸으면 도착할 수 있는 거리였다. 방향만 잘 잡는다
면 말이다. 나는 가방에서 마알록스 한 봉지를 꺼내 모서리를 찢어
서 입으로 쭉 빨아 먹었다.

나는 광장을 가로질러 좁고 불퉁한 돌로 만든 길을 따라 천천히 올라갔다. 다행히 내비게이터가 그어준 녹색 선을 따라 나는 가고 있었다.

행인은 눈을 씻고 봐도 보이지 않았다. 북유럽의 어느 지방을 가더라도 늘 똑같다. 겨울의 밤은 무척 이른 시간에 시작하고 사람은 항상 눈에 띄지 않았다. 고요한 밤의 숨결만이 흐른다.

그저 바람과 가로등, 낙엽 밟는 소리와 한 번씩 울리는 경적이나 사이렌 소리뿐이었다.

약간 가파른 길을 올라갔을 때쯤, 그녀에게서 답장이 왔다.

"네."

나는 가던 길을 잠시 멈추어 선 채, 그녀의 답장이 주는 의미를 생각했다.

'만나기 싫다는 뜻인가?'

하지만 만남을 제안한 것은 그녀였다. 채팅을 시작한 지 이틀도 되
지 않아 그녀는 자기 주소를 내게 전달했다.
"언제든지 찾아오세요. 기다릴게요."

"이번 주말에도 괜찮을까요?"

"네, 그럼요."

"정말, 찾아가도 될까요?"

"네. 오세요."

"그럼 이번 일요일에 집으로 찾아가겠습니다."

"네. 근데 집에는 여동생과 어린 딸이 있어요."

"그럼? 집 근처 호텔로 할까요? 어차피 식당은 코로나로 모두 닫았을 테니까."

"네. 그게 좋겠네요. 근데 호텔도 닫지 않았을까요?"

"비즈니스 업무라고 둘러대면 됩니다. 어차피 호텔도 손님은 유치해야 하니까요."

"아. 네. 그럼 오세요."

"같이 잘 건가요?"

"네."

나는 그녀에게 지금이라도 만나는 게 망설여진다면 돌아갈 수 있다는 메시지를 보내려고 하다가 그만두었다. 괜히 도를 넘는 느낌이 들었기 때문이다.

나는 다시 길을 재촉했다. 약한 경사의 오르막길이 꼬불꼬불 계속 이어졌다. 숨이 차고 목에는 땀이 맺혔다. 코듀로이 바지 속 팬티가 어느 순간부터 말려가기 시작했다.

언덕 정상에 오르자, 목재 외장 집들이 하나둘씩 나타났다. 복층의 전원주택도 눈에 띄었다.

붉은 볼보 스테이션왜건과 남청색의 포드 익스플로러, 크림색 MG 헥터, 흰색 마쓰다 미아타가 나란히 세워져 있었다. 나는 그사이에 엉거주춤 서서 바지 지퍼를 내리고 오줌을 누었다.

==================

여인은 또랑또랑한 얼굴이었다. 그리고 따스함을 주는 짙은 피부색을 지녔다. 하지만 얼굴의 굴곡과 세세한 특성은 분명 기품이라곤 전혀 보존할 수 없는 천박함이 묻었다.

그녀가 입고 있는 밝은색의 헐렁한 옷 속으로 부드럽고 축 처진 살덩이를 아무렇게나 밀어 넣은 듯한 느낌이 들었다.

얇은 귀에는 크고 둥근 귀걸이가 대롱거렸다. 낡은 검정 가죽 멜빵에 가슴판이 있는 작업복 청바지를 입었다.
좁고 누추한 호텔이었다. 아무도 없었다. 거치적거릴 것 없는 안내 데스크에서 우리는 잠시 머뭇거렸다. 벽에는 먼지가 잔뜩 뒤덮인 낡은 파이어 아일랜드 사진이 붙어있다.

이윽고 남자가 나타났다. 그는 갈색 스웨이드 재킷을 끼듯이 입고 있었다. 키가 작달막하고 오지랖 넓고 얄팍한 모습이었다. 마치 전체주의자에 길든 모습이었다. 그는 광대뼈가 앙상하게 드러난 얼굴을 히죽거리며 여자와 나를 번갈아 쳐다봤다.

"빈방이 있나요?"

"있습니다만, 단속이 한층 강화되었어요. 당신들은 누가 봐도 비즈니스 업무로 온 것은 아닌 게 확실하군요…."

남자는 비웃는듯한 표정으로 나를 빤히 쳐다봤다. 어쩌면 다이앤 아버스의 기괴한 사진에나 나올 법한 표정이었다. 어딘가에서 글렌 굴드가 연주하는 골드베르크 변주곡이 흘러나왔다. 팀파니 소리가 선명했다.

우리는 말없이 호텔을 나왔다. 바람 소리에 혼란이 가득했다.

"당신 집으로 갑시다."

"하지만…. 방이 달랑 하나에요."

"저는 거실에서 자겠습니다. 어차피 몇 시간 자지도 못할 겁니다.

첫차로 올라갈 거니까요."

"하지만…"

나는 지갑을 꺼내 50유로짜리 지폐 석 장을 꺼냈다. 그리고 그녀의
손에 쥐어 주었다.

==================

그녀의 손을 잡고 방에 들어가는 순간, 나는 교도관처럼 그녀의 삶
을, 놓인 물건으로 해석하고 일별한다.

값싼 새앙 가루 팩이 놓여있다. 헝겊 인형이 보였다. 그리고 길비스
드라이 진과 버무스, 봄베이 사파이어, 소비뇽 블랑 빈 병이 장식품
처럼 올려져 있다.

여자는 자기 방 문간에 서 있다.

발을 녹색 발판에 문질러 구두에 묻은 흙을 털었다. 나는 나의 데크 슈즈를 가지런히 놓았다.

외투 자락을 벗어, 작고 뭉툭한 소파로 던졌다. 내 무게의 대부분이 쑥 빠져나가는 듯하였다.

아기는 잠이 들었고 동생은 보이지 않았다. 벽지는 모서리마다 부풀어있다. 벨벳 커튼이 암울하게 걸려 있다. 끈적거리는 욕망이 사방에서 삐져나온다.

노란 조명 아래, 방의 모든 것이 죄스럽다는 듯이 속삭인다.

유리에 비친 나의 모습은 일그러져있다. 인간이 구축한 시스템에는 늘 부정적인 모습이다. 얼굴은 닳고 더러워지고 주름이 잡혀, 여행 중에 끼고 있던 장갑처럼 늘어나 버렸다.

나는 화장실로 가서 준비해온 휴대용 리스테린으로 입을 헹궜다. 나는 다른 사람보다 입 냄새가 심한 편이었다.

어느새 테이블에는 값싼 와인병과 잔이 놓였다. 소파 끝에는 이불도 보였다. 여자는 TV를 틀고 모든 조명을 껐다. TV에는 노르딕트랙 러닝머신 광고가 펼쳐졌다. 우리는 소파에 앉아 오래된 연인처럼 살포시 안았다.

부드러운 캐시미어 스웨터가 따스함을 전해주었다. 나는 스웨트셔츠를 힘들게 벗었다. 땀내가 물씬 풍겼다.

상처와 털을 민 자국, 약간 출렁이는 허벅지가 유혹한다. 유리잔 속의 얼음이 빛을 낸다. 음울하지만 욕정이 배어있다.

담배 연기가 미세한 안개처럼 떠오른다.

싸구려 화장품 냄새와 곰팡내, 땀내가 절묘하게 섞였다. 꺼림칙하기도 하고 속으로는 주저함도 있었지만 결국 쾌락의 기억은 무엇이든 강요하고야 만다.

개나리와 냉이 그림이 그려진 퀼팅 이불을 들썩거리자 쉰내가 푹 올라왔다. 할퀴고 짓밟고 싶은 충동이 솟았다. 하지만 꾹 참았다. 달팽이가 내뱉은 끈끈물 같은 게 여자의 음부에서 흘러내렸다.

천진난만하게 때론 휘황찬란하게 몸속의 모든 세포는 쾌락에 물든다. 덧베개가 이상한 모습으로 짓눌러지기 시작한다.

여자는 심하게 머리를 뒤로 젖힌다. 분수의 물줄기 위에 춤추는 아지랑이처럼 쾌락의 감탄이 삐져나온다.
나는 한다. 고로 존재한다. 고르지 못한 숨을 내쉬었다

매 순간 천 곱의 희열이 죽은 삶을 대신한다. 운위할 수 없는 쾌락의 맛. 신의 선물. 여자는 숨이 턱 끝에 닿은 척, 헉헉거렸다.

==================

어렴풋이 선잠이 들었다. 정신이 아득하였다. 그러나 곧이어 따가운 통증을 얼굴에서 느꼈다. 나는 눈을 번쩍 떴다. 여전히 세상은 칠흑같이 어둡다. 여자와 눈이 마주쳤다.

"내 말을 귓등으로 듣는 거야?"

"미친 새끼야! 내 여동생은 아직 처녀야!" 여자는 눈썹을 치켜세운 채, 분노에 차서 떨기 시작했다. 안색이 파리하게 변했다.

"그냥 끼니를 잇기 위해 너 같은 새끼가 필요할 뿐이야. 알겠냐고? 이 사기꾼 색전증 같은 녀석아!"

"지금 내게 으름장을 놓는 거야?" 나는 벌떡 일어났다. 하지만 여전히 나는 어둠에 있다.

흔들리는 망막 속에 품은 저주가 느껴진다.

돌아서는 등에 그녀의 욕지거리가 매달렸다. 거친 손찌검이라도 돌려주고 싶었으나 늘 생각뿐이었다. 나는 역정을 억지로 삼켰다. 그냥 재킷을 찢을 듯이 손에 꽉 쥐고는 뛰쳐나왔다. 악덕과 모독이 치렁

치렁 달려 나왔다.

무채색의 공간. 더러운 하늘이 낮게 드리웠다. 검정이나 회색 혹은 갈색이 지배하는 풍경은 선명함이 없었다. 마치 파스텔 색조로 덧이겨놓은 듯한 유화 같았다.

틈이 놓여있다. 탁한 바람이 갈색의 병풍처럼 이어졌다 사라진다. 휘어진 도로 사이로 죽음처럼 깊은 수렁이 머문다.

칼날 같은 바람이 세차게 불었다. 절망적인 포르티시모가 쭈뼛 삐져나온다. 얼굴이 얼얼하고 목젖이 빳빳하였다. 침을 삼키니 따가움이 전해졌다. 몸이 늪 속에 빠진 듯 천근만근 무겁다.

혼란스러움이 형식을 찾아가고, 두운과 각운에 맞추고, 내 인생의 질서를 반듯하게 흩뿌려놓는다. 모든 것은 익숙하게도 반복된다. 혼돈만이 진정한 내 삶의 가치다.

암울한 무엇인가가 나를 눌렀다. 자의식 과잉으로 내려앉은 무거운 머리. 그러나 나는 개의치 않았다. 그냥 받아들였다. 가장 착한 면과 악한 면이 늘 가까이 들러붙어 있다.

점점 방향을 어디에 둘지 알 수 없었다. 머리가 백지상태로 변했다. 어떻게든 견뎌야 하는 불행만이 가득하다. 모든 게 거품처럼 부글거린다. 동경과 좌절 속에, 광기와 불행 속에…

나는 경박하고 공허하다. 즉, 적어도 삶은 살고 있다.

==================

기차는 좀처럼 오지 않았다. 나는 목을 길게 빼고 마냥 기다렸다.

배기바지를 입은 청년이 담배를 물고 다리를 절뚝거리며 서성이고 있다. 연기는 가까이 오면서 꼬이고 말리기 시작했다.

지나치게 긴 하루였다. 재수 옴 붙은 날. 삶이 시간 속에 머뭇거린다. 운명이 수 놓은 반짝이는 경외. 내 안에서 여음이 울린다. 저주와 축복이 버무려진다. 창조의 활동과 오만. 이때를 늘 갈구한다. 다시 내부로 향한다.

번뇌는 불어나고 의식은 가볍고 감각은 불안하다. 잔인하기 짝이 없는 세상. 늘 인간은 혼자다. 타나토스로 향하는 여정.

청색 블레이저와 타탄체크 바지를 말쑥하게 차려입은 청년이 케이프 코트를 근사하게 차려입은 여인과 팔짱을 낀 채 나를 스치듯 지나갔다. 더블브레스트 재킷에 검은 레이밴 선글라스, 고전적인 느낌의 윙톱 슈즈를 착용한 사내도 풍채 좋고 당당하게 서성거린다.

단조로운 힙합이 점점 크게 다가온다. 돌아가는 세계는 궁색하였고 나는 관조로 일관한다. 그리고 자신을 추스른다.

저 멀리, 시선의 끝에 폭풍의 형상이 도사린다. 나는 길게 한숨을 쉰다. 지금은 그 무엇이든 삶을 어렵게 한다. 대기, 바람, 구름, 정적, 외로움, 바짝 마른 이파리. 모든 것은 죽음과 연관되어 있다.

사물과 형상, 기억은 아픔과 슬픔으로만 맺어진다. 종말의 시대는 그런 것이다. 우리가 원래 만들어진 대로 파괴로 이어진다.

자신이 평온했던 어린 시절에는 다 써버릴 수 없었던 지나친 교만, 의지, 지배력이 나의 죽음 속으로 흘러든다. 구역질은 늘 따라다니고 두려움은 상주한다. 나는 이제 잉여분을 탕진하고 싶다.

나는 입장하는 기차를 향해 뛰어든다. 허공에서 파들거린다.

그을음 같은 흐릿하고 음흉하기까지 한 햇살이 비스듬히 내리쬐고 있다.

그 아름다운 존재에 축복을….

남 킹 컬 렉 션 # 0 0 1

그레고리 흘라디의 묘한 죽음

남킹 장편소설

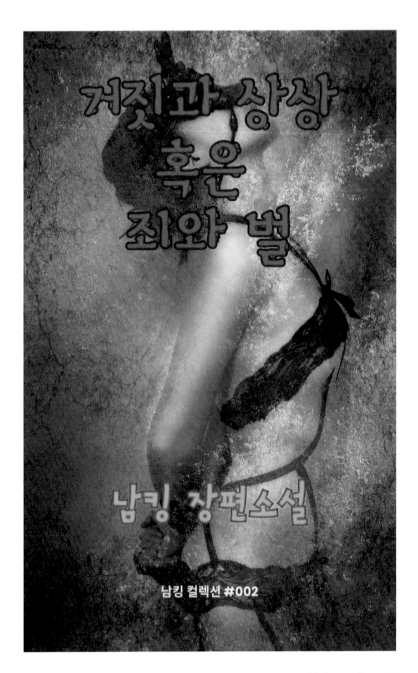

거짓과 상상
혹은
죄와 벌

남킹 장편소설

남킹 컬렉션 #002

너에게 나를 바친다

교도소 철망이 열리면 나는 심호흡을 한다. 이제 익숙한 곳이지만, 불안이 내면의 깊은 곳에 여전히 박혀있다. 동시에 흥분이 인다. 스스로 선택한 방문이지만 확신은 그다지 없다. 그저 나는 돈이 필요했다.

무명 작가. 문단에 이름 석 자는 일찍이 올렸지만, 대중을 사로잡지도, 비평가의 관심도 끌지 못했다. 그저 그러한 삶이 이어진다. 밥 먹고 살기 위해, 남들이 그다지 하고 싶지 않은 일을 해야만 한다.

일주일에 두 번 나는 교도소를 방문한다. 재소자들에게 작문을 가르친다. 글쓰기 수업. 주제는 없다. 그냥 자신이 쓰고 싶은 아무 글이나 쓴다. 나는 맞춤법, 띄어쓰기 같은 기본 문법만 도와준다. 그리고 그들의 작품에 대한 내 느낌을 간단하게 전달하면 된다.

사실 노력 대비 보수가 꽤 후한 편이다. 지원하는 작가도 많지 않다. 그러니 그저 감옥이라는 부담감만 떨쳐 버리면 꽤 오랫동안 우려먹을 수 있는 쏠쏠한 부업이다.

지난달에는, 언론플레이에 관심이 많은 교도소장의 노력으로, 모 방송 프로그램에도 잠시 소개가 되었다. 덕분에 창고 구석에 쌓여있던 나의 책들이, 오래간만에 기지개를 켰다는 소식도 들었다. 물론 잠깐이지만.

사실, 사람들이 나의 글에 놀라움과 찬사를 보내던 젊은 시기가 있기는 있었다. 내가 천재라고 착각하던 시절 말이다. 신춘문예에 연속으로 당선하고 지방 신문에 칼럼 하나를 맡을 때였다.

적당한 보수와 힘들이지 않아도 되는 하루. 그리고 추종자들로 둘러싸인 나의 미래가 환각처럼 펼쳐지던 날들. 나는 서둘러 책을 냈다. 황금알을 낳는 거위인 줄 알았다. 한 편, 두 편, 세 편.

4개의 철문이 차례로 열리고 닫히기를 반복하며, 마침내 나는 도서관 옆 라운드 탁자가 놓인 방에 도착했다. 3개의 탁자에 10명의 수강생 시선이 일제히 내게로 몰린다. 모두 여자다.

같은 재소자 복장이지만, 화사한 분홍빛과 덤덤한 회색, 서늘함과 따스함, 늙음과 젊음, 무표정과 반항이 섞여 있다. 그들의 글도 마찬가지다. 단순하고 치졸한 신세 한탄부터, 지나간 날들에 대한 추억과

연민, 혹은 후회로 점철된 우스꽝스럽기 그지없는 고백, 세상에 대한 적개심, 배신과 따돌림, 불우한 숙명으로 이어지는 자조, 그저 시간 보내기용으로 묘사하는 적나라한 야설도 등장한다.

글의 수준은 낮지만 다들 진지하다. 나는 그들을 희망으로 인도하는 착한 거짓말을 한다.

"지난주보다 좋아졌군요." "네, 많이 나아졌어요." "표현이 풍부해졌어요." "좋은 글이군요." "마음에 닿는군요." "다음 주가 더 기대됩니다."

****

1시간 반이 그렇게 끝났다. 하지만 끝이 아니다. 아직 30분이 남았다. 나는 다른 한 여자를 기다린다. 일반 재소자와 같이할 수 없는 여인.

사형수.

여자는, 처음이자 마지막으로, 남자 친구와 공모하여 강도질했다. 가족을 협박하여 돈을 갈취한 뒤, 불을 질렀다. 3명이 죽었다. 그녀의 의붓아버지와 이부동생들이었다.

방화는 우연이라고 변호사는 항변했다. 하지만 경찰은 트렁크에 난 신나 자국을 증거로 제시했다. 남자 친구의 차였다.

나는 다시 4개의 문을 통과한다. 일반 면회실을 지나 복도 끝, 정사각형의 골방에 도착한다. 장식이라곤 CCTV뿐인 온통 하얀 곳. 모든 모서리가 라운드로 된 탁자와 의자가 중앙에 있다.

나는 그곳에서 항상 그녀를 기다린다. 장기수 혹은 사형수 전용 면회실.

흥분이 밀려온다. 익숙하지만 늘 낯선 감정이 감싼다. 나는 그녀를 항상 생각한다. 어리석으리만큼 뜨거워진다.

그녀는 뭔가 특별한 것이 있다. 첫 만남부터 그랬다. 여자는 너무나 단순하고 해맑아 보였다. 마치 내가 사형수인 것처럼 느꼈다. 창백한 피부와 투명한 눈빛, 맑은 미소로 그녀는 낯선 이에게 말했다.

"아저씨와 섹스하고 싶어요."

"CCTV가 비추지 않는 좁은 공간이 있어요. 바로 저 구석이죠." 그녀는 열정에 사로잡힌 듯 단발을 흔들며 발그레한 볼을 부풀렸다.

그녀는 느긋하다. 마치 갇힌 공간을 부유(浮遊)하는 햇살 속의 먼지 같았다. 여자는 고사리 같은 손을 턱에 괴고는 끝없이 나를 바라본다. 나는 노트북을 펼치고 녹음기의 플레이 버튼을 누른다. 여자의 목소리가 일정한 속도로 천천히 흘러나온다.

나는 그녀를 자판에 담는다. 여자가 글을 남기는 유일한 방법. 그녀는 세 번이나 자살을 시도했다. 흉기가 될 수 있는 어떤 물건도 허락되지 않는다.

여자의 문장력은 놀랍다. 직선의 광선에 갇혔으나 빛보다 더 선명하게, 그녀가 선택한 단어가 이어지고 엮어진다. 그녀가 내게 내놓은 문장은 화려함을 감춘 응축과 포용이 뒤섞인 황홀한 습지처럼 부스스하다.

낙서와 무질서, 혼란스러운 메모 덩어리들이 뒤죽박죽인 상태로 질서정연하게 이어나간다. 혹은 느닷없이 거친 문장이 치열하고도 단순하게 불쑥 솟아오른다.

나는 그녀의 언어를 탐욕스러운 눈빛으로 쳐다본다. 갖고 싶은 문장들. 내가 늘 건사하고 싶었던 언어들이 보석처럼 빛나고 있다. 겨우 한 장이 끝났는데 숨이 헉하고 찬다. 격렬한 연주가 끝난 음악가처럼 두근거린다.

나는 그녀를 쳐다본다.

"죽기 전에 도서관에 있는 모든 책을 뒤져 볼 생각이에요, 선생님."

"그냥 첫 장만 읽으면 감이 와요. 끝까지 읽어야 할지 말지."

"이번 주에만 벌써 서른 권 넘게 읽었어요. 물론 끝까지 읽은 책은 단 2권이죠. 양철북과 악마의 시."

그녀는 글이 주는 수혜의 병 속에 잠겨있다. 여자의 운명은 너무도 잔인하게, 죽음 앞에 비로소 삶의 가치를 내비친다.

나는 순간, 그녀가 사형수라는 것에 강한 질투심을 느낀다.

어차피 인간은 죽는다. 우리는 모두 그날을 알 수 없는 사형수다. 그녀는 애써 살기 위해 해야 할 의무에서 해방된, 어찌 보면 가장 자유로운 영혼이다.

삶을 온전히 자신에게로 맞추어 놓으면 된다.

나는 타협을 한다. 그녀는 완전히 나에게만 있다.

여자의 사형 집행일은 내 소설이 새롭게 태어나는 날이다. 나는 그녀의 재능으로 명예를 벌고, 그녀는 나로 인해, 사람들 속에 영원히 존재할 것이다. 세상 사람들이 소멸하기까지.

나는 그녀의 생각을 거두고 빈 녹음기를 건넨다. 그리고 그녀의 요구대로 구석으로 갔다. 그리고 거칠게 그녀의 옷을 벗긴다. 앙증맞은 입술에 나를 포갠다.

하찮은 내 몸뚱이를 계약의 징표로 바친다.

파벨 예언서

떠오르는 위협

남킹 장편소설

리셋

Reset

남킹 SF 소설집

남킹 컬렉션 #010

연꽃

사람들의 행동을 유심히 관찰해 보라. 그들의 미래, 불행과 행복을 예측해 볼 수 있을 것이다. ─노자

늦가을 더위가 한창 기승을 부리던 어느 날, 니콜라스는 군에 징집되었다. 그의 나이 스물이었고 막 결혼한 때였다.

그는 가난한 농사꾼이었고 고향을 떠나 본 적이 없었다. 학교에 다녀 본 적도 없으며, 당연히 글을 읽고 쓸 줄도 몰랐다.

그의 관심은 오로지 하늘과 땅, 가족과 가축, 옥수수와 밀이었다.

그 해는 무척 가물었다.

사실, 해가 갈수록 강수량이 줄어들고 있었다. 농작물은 고사하고 가축뿐만 아니라 심지어 사람이 마실 물도 부족했다. 자연히 농촌을 등지는 주민이 늘어났다.

게다가 멀지 않은 곳에 대규모 다이아몬드 광산이 발견되어 이주민들을 불러 모으기 시작했다. 마을 청년 대부분이 그곳으로 떠났다. 하지만 니콜라스는 고향에 머물렀다.

그리고 조용히 때를 기다렸다.

그는 어느 날, 아내에게 이런 말을 하였다.

"머지않아 탐욕이 부른 전쟁이 나서 자신이 끌려가게 될 거 같아···. 그리고 전쟁이 끝나면 우리는 아주 아주 먼 곳으로 가게 될 거야···. 사람이 거의 살지 않는 곳으로 말이야···."

그녀는 그의 말을 귀담아듣지 않았다.

왜냐하면 그는 종종 그녀에게 꿈 이야기를 하였다. 그리고 그 내용은 대부분 먼 미래나 과거에 관한 거였다.
그의 신상에 관한 이야기는 이번이 처음이었다. 그리고 그녀는 자기 남편이 단지 상상력이 풍부한 사람이라고만 여겼다.

그런데, 얼마 뒤, 그의 말대로 다이아몬드 광산 이권을 둘러싼 두 민족 간의 충돌이 발생했다.

그는 보병으로 참전하였다. 광산이 내려다보이는 힐마리아 언덕에는 여러 개의 진지가 구축되었다. 각 진지는 참호로 연결되어 있었다. 그는 그곳에서 군사 물자를 나르는 일을 하였다.

전투는 치열했다.

밤낮으로 포격과 총격전이 이루어졌다. 매일 수많은 군인이 전사하였다. 하지만 좀처럼 한쪽으로 전세가 기울지 않았다.

팽팽한 상태가 한 달 동안 지속되었다.

그러던 어느 날, 니콜라스는 그의 동료에게 꿈 이야기를 하였다.

"내일이면 적들이 소리소문없이 사라질 것 같은데…하지만 그게 더 무서운 일이지…."

이 말을 전해 들은 동지들은 하나같이 실소를 금할 수 없었다. 왜냐하면 매일 밤 그들은 사방에서 올라오는 적들과 치열한 전투를 하였기 때문이었다.

하지만 그의 예언은 정확했다.

이튿날부터 주변에 산재했던 수많은 적들이 자취를 감춘 거였다.

이게 바로, 니콜라스의 명성이 알려진 첫 번째 사건이었다.

그는, 적들이 그다지 효과가 없는 포위 격멸이나 거점점령 식 작전을 포기하고 게릴라전으로 바꾸었다는 사실을 미리 알아챈 것이다. 이 얘기는 곧바로 대대장 귀에 들어갔다.

그는 반신반의하면서도 니콜라스를 일단 곁에 두고 좀 더 지켜보기로 하였다.

이후 니콜라스는 여러 작전회의에 참석하여 그의 예언을 말하였고, 이는 곧바로 사실로 드러났다. 덕분에 그의 군은 차츰차츰 승기를 잡아 나갔다.

그리고 마침내 그의 말대로, 적이 휴전 제안을 해 왔다.

이 기쁘고 놀라운 소식은 나라 전역에 삽시간에 퍼졌다. 하지만 사람들을 더욱 놀라게 한 것은 니콜라스의 예언 능력이었다.

그는 군이 하사한 최고 훈장과 좋은 보직 제안도 마다하고 고향으로 돌아갔다. 하지만 그를 보려는 사람들이 매일 구름처럼 몰려왔다.

니콜라스 가족은 결국 고향을 등질 수밖에 없었다.

이후, 그에 관한 소식은 어디에서도 들리지 않았다.

누군가 가우타를 찾아오기 전까지는 말이다.

그가 매사추세츠공과대학 컴퓨터 공학부에 합격하여 미국으로 건너가기 직전의 일이었다.

"하지만 제가 당신이 찾는 그 사람이라는 것을 어떻게 확신하나요?" 가우타의 호기심이 안쓰러운 회의감으로 이어졌다.

나탈리아는 잠시 머뭇거리며 주저하는 듯하다가 그를 빤히 쳐다보며 말을 이어갔다.

"솔직히 저도 확신을 하지는 못합니다. 아버지가 매번 겪는 환영이 미래의 모습인지 아니면 단지 정신이상에서 비롯된 것인지… 사실 대다수는 엉뚱하기 짝이 없는 이야기입니다."

"예를 들면?"

"예를 들면, 이런 겁니다. 남극지방에 음식이 가득한 거대 냉장고가 있다거나 사막에 낙타를 통째로 집어삼키는 지렁이가 산다는 둥…"

"그건 전설입니다."

"네?"

"사막의 지렁이…. 아버님이 책을 좋아하셨군요."

"아버지는 글자를 모릅니다. 그래서 제가 대신 아버지의 환영을 받아 적었고요. 좀 더 정확히 하자면, 제가 쓰는 일기에 아버지의 구술이 첨가되었습니다. 저의 밋밋한 하루에 감초 같은 이야기였거든요. 사실, 그냥 재미 삼아 적었습니다. 아버지의 이야기는 늘 흥미로웠거든요. 미래의 예언이라고는 전혀 생각하지도 못했습니다."

"그런데?"

"그러다 어느 날 문득 깨달았습니다. 아버지의 환영이 미래의 모습일지 모른다는…."

"그건?"

"네, 어느 날 뉴욕의 쌍둥이 빌딩이 무너지더군요. 그런데 그게 저에게는 생소하지 않더군요. 그래서 저는 급히 일기장을 뒤지기 시작했습니다. 그리고 오래전에 기록된 것을 발견했습니다."

그녀는 가방에서 낡은 공책을 하나 꺼내더니 마크한 표시를 펼쳐 읽기 시작했다.

"탐욕의 도시에, 하늘을 찌르던 두 개의 쌍둥이 탑이 무너졌다. 오만과 반목이 널리 퍼졌고 마침내 멸종의 전조가 시작되었다. 사람들은 두려움을 감추지 못하게 되었다. 증오가 낳은 끔찍함의 단면을 세상 모두가 지켜보았다."

"저는 그때부터 아버지의 이야기를 유심히 다시 읽기 시작했습니다. 돌아가시지 전까지 말입니다. 그리고 아버지의 말씀을 따로 공책에 적기 시작했습니다. 마침내 7권 분량의 책이 만들어졌습니다." 나탈리아는 그녀의 가방에 든 일곱 권의 자필 책을 그에게 내놓았다.

"그런데 왜 이 책을 저에게?" 가우타의 시선은 줄곧 책으로 향한 채 의아한 표정을 지었다.

"아버지의 유언입니다."

"네? 아버지의 유언? 그분이 저를 아셨나요?"

"모르십니다. 단지, 꼭 자신이 본 것을 전달하라고 말씀하셨습니다."

"그래서, 저는 당신에게 다시 한번 같은 질문을 던집니다. 당신이 찾는 이가 제가 맞나요?"

"확신은 없습니다. 하지만 당신이 맞습니다."

"어떻게?"

"아버지는 돌아가시기 전, 말씀하셨습니다."

그녀는 공책의 맨 마지막을 펼쳐서 읽기 시작했다.

"검은 땅끝, 하얀 마을에 세상을 구원할, 열은 날개 달린 이가 물의 꽃에서 탄생한단다. 공교롭게도 네가 태어난 그 날이란다. 그를 꼭 찾아 나의 이야기를 들려주기를 바란다. 그만이 우리를 암흑의 지옥에서 구원할 수 있단다."

"아버지, 제가 그를 어떻게 찾을 수 있나요?"

"나도 모르겠구나. 나탈리아. 하지만 그는 지독한 책벌레란다. "

"검은 땅끝이 어디일까요?" 그녀는 읽기를 멈춘 채, 그를 빤히 쳐다
보며 물었다.

"바로 여기, 남아프리카."

"하얀 마을은 바로 이곳이죠. 지금은 사라졌지만, 한때 진주 양식업
이 번창하던 곳이죠. 원양 어업이 발전하기 전까지 말입니다."

"하지만 저는 날개가 없습니다."

"저는 당신을 한 달 동안 줄곧 지켜봤습니다. 이곳 마을, 유일한 공공 도서관에서…"

"당신의 일과는 거의 똑같더군요. 학교가 파하면 이곳에 와서 꼭 3권의 책을 빌려 가더군요. 우선 저는 무작위로 책을 집어 들고 맨 뒷장 도서 열람표를 조사했습니다. 거의 빠짐없이 당신의 사인이 등장하더군요. 그리고 나비를 무척 좋아하더군요. 사인 옆에는 꼭 나비 그림이…. 한 개, 두 개 혹은 세 개씩…. 옅은 날개를 지닌…"
"네, 그건…. 권당 세 번씩만 보기 위하여…"

"이제 마지막으로 묻고 싶습니다. 당신은 언제 태어났나요?"

"1986년 6월 6일입니다."

나탈리아의 눈에 눈물이 고이기 시작했다. 그녀는 조용히 그녀의 여권을 그에게 보여줬다.

"당신이군요."

"네, 그리고 한가지 추가하자면⋯. 제 이름은 로터스입니다. 가우타 로터스. 로터스는 물의 꽃. 연꽃을 의미합니다."

"마침내⋯."

나탈리아는 그를 왈칵 끌어안았다. 감격의 눈물이 그녀의 볼을 타고 하염없이 흘러내렸다. 그녀는 지난 3년 동안, 가우타를 만나기 위하여, 땅끝이라고 알려진 세상의 모든 곳을 뒤지고 다녔다.

예언가 니콜라스는 눈을 감기 직전, 그녀에게 다음과 같이 말하였다.

"사랑하는 딸아, 너는 그의 그림자가 될 것이다. 나에 대하여 기록하였듯이, 그에 대한 모든 것을 기록으로 남겨 후세에 전하기 바란다. 너는 물의 꽃에서 깨달음을 얻는, 세상 모두의 어머니가 될 것이다. 그것이 너의 숙명이란다."

거리를
비워두세요
남킹 음악 에세이

남킹 컬렉션 #020

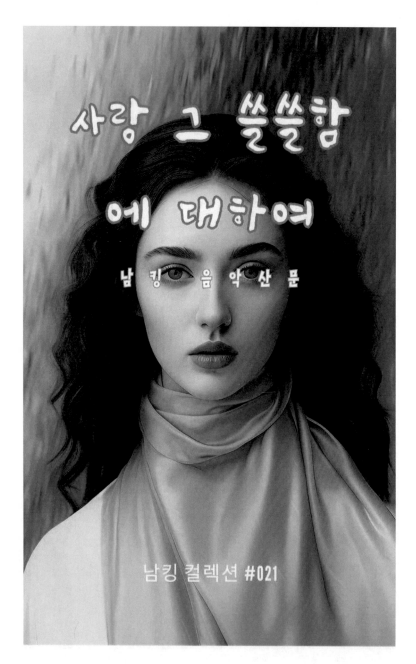

사랑 그 쓸쓸함
에 대하여

남 킹 음 악 산 문

남킹 컬렉션 #021

일곱 번째 자식

금권(화폐) 권력은 평화시에 국가를 잡아먹으려 하고 역경의 시기에는 반역을 꾀한다. 그것은 군주제보다 더 포학하고, 독재보다 더 거만하며, 관료제보다 더 이기적이다.

나는 가까운 미래에 나를 무력하게 하고 내 조국의 위험 앞에 떨게 하는 위기가 닥쳐올 것을 알고 있다.

기업이 왕좌를 차지했다.

타락의 시대가 뒤따를 것이고, 재부가 소수의 손에 집중되고, 공화국이 파괴될 때까지 금권(화폐) 권력은 대중에게 손해를 끼치며 그 권세를 확장할 것이다. - 에이브러햄 링컨(미국 대통령, 1809.2.12~1865.4.15)

모든 것은 정지한 것처럼 보였다. 어둠 속에 여명이 있었다. 침울하게 뻗은 도로. 대지를 가득 메운 먼지.

그녀는 눈을 가늘게 뜨고 지평선을 바라본다. 그녀 앞에 무덤 같은 산등성이가 끝도 없이 펼쳐졌다.

낡은 그림 같았다. 한동안 그렇게 있었다.

이윽고 따뜻한 무언가가 그녀를 감쌌다. 잠시 다른 세상의 느긋한 혼란 같은 느낌이었다.

그러다 불현듯 세찬 바람이 등 뒤에서 불었다. 그녀는 몸을 가눌 수가 없었다. 순간 정신이 아득해졌다.

그녀가 떨어진 곳은 연꽃이 무성하게 핀 연못이었다.

그녀는 그중에 가장 빛나는 연꽃 하나를 가슴에 품었다.

그녀는 행복함으로 눈물을 흘렸다.

암스의 아내는 영국을 여행 중이었다. 원인 모를 병으로 시름시름 앓던 그녀는, 자구책으로 친정집에 당분간 머물기로 하고 떠난 것이다. 원래 한 달을 예정하였으나 6개월째 계속 머물고 있었다.

하녀인 에스나가 들어왔다. 그녀는 전형적인 유럽인의 모습이었다.

얇은 입술, 창백한 피부, 갈색 머리, 푸른색이 도는 눈동자. 작은 키만 빼면 말이다.

그녀는 원래 아내의 몸종이었다. 하지만 그녀가 없는 사이, 암스의 시녀가 되어 궂은일을 도맡아 하고 있었다.
그녀를 특징짓는 한 가지는, 살포시 벌린 입술에 머문 상냥한 미소였다. 그리고 거기에 걸맞게 자주 웃었다.
그녀는 자신이 직접 만든 새 메이드복을 입고 주인의 서재를 청소하고 있었다.

암스는, 그녀 치마에 수놓은 한 송이 꽃을 발견하고는 호기심이 들어 물었다.

"꿈에서 본 꽃이옵니다. 주인님. 감히 무슨 꽃이라고 알지 못할 뿐만 아니라 자라면서 본 기억도 없는 꽃입니다."

"네가 본 것을 한번 말해보거라."

"여러 번 꿈을 꾸었고 조금씩 다르기는 하지만, 늘 같은 한 가지는…. 아주 검은 물에 별빛보다 더 밝은, 크고 아름다운 꽃을 안고 나면 깬다는 사실입니다."

"기묘하구나. 왜냐하면 나 또한…." 그 순간 암스는 말을 멈추었다. 그가 몇 달간 간직한 꿈의 비밀을 하찮은 하녀에게 처음으로 털어놓는다는 사실이 겸연쩍다고 느끼기 시작한 것이었다.

그는 잠시 생각에 잠기더니 이윽고 그녀에게 손짓했다.

"내게 가까이 다가오려무나."

"네?"

"내게 가까이 오너라."

그녀는 천천히 주인에게 다가갔다.

"너는 입이 무겁냐?"

"네, 그렇습니다. 주인님. 그것이 무엇이든 무덤까지 가져갈 것입니다." 그녀는 조숙하고 엄격한 말투로 말하였다.

"월경은 끝났느냐?"

"네, 그러하옵니다만…"

"얼마나 되었느냐?"

"2주 전쯤이옵니다."

"너의 질에서 맑고 미끈거리는 분비물이 나오느냐?"

"네, 그러하옵니다만…"

"그럼, 오늘 밤 잠자리에 들기 직전 내게로 몰래 오너라. 누구에게도 말하지 말고."

"그건?"

"그래, 나는 오늘 너를 품을 것이다. 하지만 누구에게도 발설하지 말거라. 나는 네가 거주할 집을 따로 마련할 것이다. 그리고 너를 죽을 때까지 돌볼 것이다."

"절대 평지풍파를 일으키지는 않을 것입니다. 주인님."

4개월 뒤, 암스는 약속대로 그녀를 내보냈다. 그의 집에서 마차로 한나절이나 가야 하는 곳에 거처를 마련해주었다. 그는 한 달 혹은 두 달에 한 번씩 그녀를 찾았다. 그리고 아들이 태어났다.

그의 일곱 번째 자식이었다.

그를 물의 꽃, 로터스라고 이름 지었다. 하지만 그의 성 파더스는 물려주지 않았다.

파더스 가문은 유럽을 떠돌던 집시였다.

그들의 조상이 어디서 기원하였는지는 거의 알려지지 않은 상태였다. 그저 수 세기 동안 유럽과 중앙아시아, 서아시아를 돌아다녔다.

그들이 유럽의 중앙, 프랑스와 독일의 국경 지역에 정착을 한 시기는 대략 신성 로마 제국 시절이었다. 그곳에서도 그들은 한동안 천민으로 살았다.

그들은 대륙의 지리에 밝은 점을 이용해 소규모의 무역을 하고 있었다.

암스의 조상, 슐레트 또한, 어릴 적부터 중국 혹은 인도까지 이어지는, 거칠고 위험한 육로 무역을 하고 있었다. 그는 다양한 나라의 여러 가지 언어를 구사할 수 있었으며, 영리하고 성실하여 인근 귀족들이 단골이 되었다.

그는 고객이 원하는 각종 차나 향신료뿐만 아니라 중국 도자기, 여러 가지 금속 공예품 등을 취급하였다.

그는 고객이 주문한 것은 어떤 일이 있어도 꼭 구해주었으므로 귀족이나 재력가들의 인심을 확고히 하고 있었다.

그러던 중, 1453년 오스만 제국의 메흐메트 2세가 콘스탄티노플을 점령하면서 비잔티움 제국이 멸망하였다. 즉, 천년 제국 동로마가 멸망한 것이다.

이것은 유럽의 무역상들에게는 적지 않은 타격을 안겨 주었다. 이슬람 제국을 거치지 않고서는 육로로 무역을 할 수 없는 지경이 된 것이다.

하지만 슐레트에게는 더할 나위 없는 좋은 기회였다. 그는 이슬람 친구가 많았을 뿐만 아니라 어릴 적부터 그들의 관습과 종교에 익숙하였다.

사실상 그에게는 무역 독점 상황이 발생한 것이다. 그리고 그는 이 기회를 충분히 발휘했다.

그는 천정부지로 치솟는 동방의 제품들을 안정적으로 그의 고객들에게 납품하였다. 그는 무역에서 가장 중요한 것을 알고 있었다.

그것은 신뢰였다.

그는 합당한 가격으로 계약을 하였으며, 판매 물건 가격이 아무리 높게 올라도 계약 가격으로만 받았다.

그의 명성은 삽시간에 퍼져나갔다. 그리고 그는 자기의 명성에 걸맞게 세습 남작이라는 직분을 돈을 주고 샀다.

주위의 유력 가문들이 그에게 투자하기 시작했다. 어떤 가문은 아예 장부 관리까지 맡겼다. 그렇게 그는 유럽의 성공한 가문으로 뿌리를 내리기 시작했다.

하지만 집시 가문이라는 꼬리표는 여전히 그들을 따라다녔다. 적어도 워털루 전투가 발생하기 전까지는 그러하였다.

암스의 할아버지 다비드는, 그가 스물다섯 살이 되었을 때, 영국의 몰락한 귀족의 딸이지만, 미의 여신으로 유명한 마리안느를 아내로 맞이하였다.

그는 어릴 적부터 무척 많은 곳을 여행하였다. 영국과 스코틀랜드는 그가 스물두 살이 되었을 때 다녀온 곳이었다.

그가 맨체스터 지역을 여행하던 중 머문 호텔에서 마리안느의 미모에 대한 소문을 듣게 되었다. 그는 자기 눈으로 그녀를 직접 보고 싶었다. 그래서 그 길로 그녀가 살고 있다는 리버풀로 갔다. 하지만 그가 그녀를 본 것은 그로부터 한 달이나 지난 후였다.

그녀는 병든 어머니 간호로 인하여 거의 집 밖 출입을 하지 않는 상태였다. 그리고 마침내 한 달 뒤, 그녀의 어머니 장례식 때 그는 먼발치에서 그녀를 지켜보았다.

수수한 검은 장례복을 입은 그녀였지만 미모는 눈부시었다. 그는 그때 그 순간을 늘 입버릇처럼 말하곤 하였다.

"죽음의 행렬 가운데 황홀감을 느낀 사람은 아마 나뿐일 거야."

그는 장례식이 끝나고 다시 한 달이 흐른 뒤, 그녀의 아버지를 찾아갔다.

그는 두꺼운 분량의 혼인 계획서 같은 것을 작성해서 갔는데, 여기에는 두 사람의 결합 이후의 구체적인 재정 계획이 담겨 있었다. 사실 그 재정 계획이라는 게 일방적인 후원에 가까웠다.

그는 무척 영리한 사람이었다. 그는 누구보다도 정보에 관심이 많은 사람이었다. 그는 정보와 신뢰만이 유일하게 중요한 성공의 잣대라는 것을 파악한 사람 중의 한 사람이었다.

그는 마리안느의 가문이 명맥만 유지하는 귀족으로 엄청난 부채에 시달리고 있다는 사실을 파악했다.

그래서 그는 아주 구체적이고 명확하게 앞으로 장인어른이 되면 누리게 될 재정적 혜택과 아내로서 누리게 될 특장점을 명확하고 또렷하게 제시하였다.

그러고도 그는 3년을 더 기다렸다. 그동안 그는 쟁쟁한 경쟁자들을 하나씩 물리쳤다.

그는 그녀와 멀리 떨어져 있었지만 바로 옆집에 사는 것처럼 그녀와 주변의 정보를 속속들이 파악하고 있었다. 그의 이러한 놀라운 정보력은 마침내 그가 서른이 되었을 때 빛을 발하게 되었다.

바로 워털루 전투였다.

전쟁은 언제나 그렇듯이 막대한 돈을 먹었다. 영국 또한 프랑스와의 전쟁을 위해 국채를 마구 발행하고 있었다. 그는 여러 경로를 통해 나폴레옹 시대가 저물고 있다는 것을 감지하고 있었다.

하지만 그때까지도 나폴레옹의 명성과 공포는 전 유럽을 공포로 넣고도 남았다. 워털루 전투가 벌어지기 전, 영국 국채의 가치는 바닥을 기고 있었다. 어느 누가 봐도 나폴레옹의 승리가 점쳐지고 있던 순간이었다.

그는 정보를 수집함과 동시에 정보의 활용에도 적극적이었다. 그는 전투가 벌어지는 곳곳에 정보원을 배치했다. 그리고 연락원을 통해 수시로 진행 상황을 보고 받았다. 그리고 어느 순간, 그는 영국 국채를 모두 다 매수하였다.

나폴레옹의 패전을 확신한 거였다. 그는 대번에 유럽에서 가장 부유한 귀족이 되었다.

훗날, 그는 자식들에게 한 장의 그림을 보여주었다. 바로 워털루 지역을 묘사한 지도였다.

그는 프랑스 진영 수백 미터 앞을 가로지르는 검은 선을 가리키며 자랑스럽게 말했다.

"이 검은 선이 무엇인지 아무도 몰랐지. 그곳 농부들만 알고 있더구먼. 깊은 웅덩이였지. 프랑스가 자랑하는 최강의 기마병이 간과한 부분이지. 그리고 나폴레옹의 오만함이 더해졌지. 그 순간 나는 신의 섭리라고 느꼈지. 나폴레옹의 종말을…"

파더스 가문의 최대 수혜자는 암스였다.

그는 할아버지의 막대한 재산과 지혜, 할머니의 수려한 외모를 그대로 물려받았다.

그는 당시 재정적 위기에 봉착한 왕족들과 거래하며 권력까지 손에 쥐게 되었다. 그는 이제 하늘 아래 누구 하나 부러울 필요가 없는 완벽한 삶을 살게 되었다.

그리고 그 정점에서 그는 자신의 가문을 이후, 천 년 이상 빛낼 계획을 실천하기로 결심하였다.

땅거미가 내릴 때쯤 여섯 아들과 그들의 식솔들이 모두 모였다.

밤이 유리창에 짙어 갔다. 하인들은 서둘러 램프에 불을 밝혔다.

집사는 검은 천으로 싼 대형 그림을 조심스레 벽에 걸었다. 불빛이 벽에 반사되어 일렁거렸다.

암스는 지팡이를 그러쥔 채 천천히 그림 곁으로 걸어가서 천을 벗겼다.

파더스 가문을 상징하는 사자, 호랑이, 독수리 그리고 왕관이 모두 사라지고 없었다.

6개의 검은 방패가 둘러싼 것은 한 송이 흰 꽃이었다. 지켜보는 이들 가운데 웅성거림이 일었다.

"아버님, 저 꽃은 무슨 의미입니까? 생소합니다." 첫째 아들 레이가 물었다.

"연꽃이다." 암스는 좌중을 둘러보며 말했다.

"네, 물론 연꽃입니다만… 왜 저 꽃이 저희 문양에 새겨졌는지?" 아들은 재차 물었다.

"연꽃은 진흙탕에서 자라지만 진흙에 물들지 않는다. 연꽃잎에는 단한 방울의 오물도 머무르지 않는다. 그대로 굴러 떨어진다. 물속의 나쁜 냄새는 사라지고 좋은 향기를 연꽃이 낸다. 연꽃은 어떤 곳에 있어도 푸르고 맑은 줄기와 잎을 유지한다. 연꽃의 모양은 둥글고 원만하다. 연꽃은 색깔이 곱다. 마음과 몸을 맑고 포근하게 한단다." 아버지는 부드러운 미소를 지었다.

"하지만 아버님, 오랫동안 이어온 파더스의 문양에 나약한 꽃이 추가되리라고는 감히 상상을 못 했습니다."

둘째 아들 좌네가 한 발짝 앞으로 나서며 머쓱해진 표정을 지었다. 차가운 스모키 실버를 한 긴 머리칼이 찰랑거렸다. 그는 어머니를 쏙 빼닮았다.

"연꽃의 줄기는 부드럽고 유연하다. 절대로 쉽게 부러지지 않는다." 그는 목에서 가래가 올라온 듯, 그르렁거리며 힘들게 말을 이어갔다.

"나는 이제 너희를 세상 밖으로 내보낼 생각이다. 첫째 레이는 미국으로, 둘째 좌네는 영국으로, 셋째 살론은 이탈리아로, 넷째 칼른은 브라질로, 다섯째 오나는 인도로, 여섯째 해즐너는 중국으로 갈 것이다. 그리고 명심해라. 너희의 이름에는 항상 파더스가 붙어 있다는 사실을…. 그리고 저 꽃의 의미를…"

파더스 형제들은 머리를 어색하게 엎드려며 아버지의 뜻을 받아들였다.

암스는 마지막으로 그의 막내아들에게로 갔다.

"너는 이제 아프리카로 갈 것이다. 그곳에서 너의 뿌리를 건설하거라. 그리고 명심하거라. 너는 지금부터 파더스 가문의 아들이다. 그리고 늘 시선을 미래에 머물기를 희망한단다. 아들아."

그는 파더스 문장을 그의 일곱 번째 아들에게 주었다.

그리고 처음으로 그를 보듬었다.

앞리깐테는
언제나 맑음

남킹 에세이
남킹 컬렉션 #023

바라밀로 가는 길

남킹 스토리 2

그만하여라, 아난다여.

슬퍼하지 말라, 탄식하지 말라, 아난다여.
사랑스럽고 마음에 드는 모든 것과는 헤어지기 마련이고
없어지기 마련이고
달라지기 마련이라고
그처럼 말하지 않았던가.

- 붓다의 유언 -

제인은 긴 잠에서 눈을 떴다.

푸른 기운이 사방에 돌고 서글픈 생각이 눈을 가렸다. 밖은 시끄럽
고 안은 침묵이 앉았다. 삼가타의 환락 도시는 자지 않는 이들의 천
국처럼 사방에 소음을 흩뿌린다. 약과 춤과 섹스와 폭력이 모든 흔
한 구성원이다.

아름다움이 겉을 장식하고 속은 추하게 일그러진다.

붓다는 자신을 스스로 등불로 삼고, 진리를 등불로 삼으라고 하였다.

그녀는 불행했다.

부모는 약쟁이였고 오빠는 폭력배였다. 늘 두들겨 맞고 강간당했으며 아픔이 친숙함을 대신했다. 살아 있음이 지옥으로 죽음의 두려움을 상쇄했다. 손목에 면도칼이 그어지고 철창처럼 차가운 침대에 널브러져 푸른 하늘에 천국을 꿈꾸었다. 닥쳐오는 재앙은 요행으로 절대 피할 수 없었다.

절대로.

　모든 번뇌 가운데서 증오가 가장 파괴적이다. - 붓다의 말씀 -

16세에 애를 낳고 17세에 또 애를 낳고 남편은 사라졌다. 새로운 남자는 그녀에게 매일의 노동을 강요하였다. 집과 직장에서 수많은 시간이 괴로움과 고통 속에 사라졌다.

주사기가 난무하는 2층 침실에서 그녀는 매그넘 방아쇠를 쉴 새 없이 당겼다. 붓다의 세상에서 수천 년이 지난 날이었다. 남자는 형체를 알기 힘들게 갈라지고 부서졌다.

우리는 이미 수없이 많은 전쟁과 참혹한 인간상을 보지 않았는가? 하지만 살아남은 자에게는 어떤 것도 보이지 않았다.

저쪽 기슭. 피안의 세상으로 인도하는 길은 멀고도 험하였다.

여자는 가석방 없는 종신형을 받았다. 10년 후 변호사는 그녀가 처한 끔찍한 지옥을 장대한 글로 피력하였다.
"모든 절망과 아픔과 슬픔과 고통을 다 합쳐놓은 종합세트의 불행이었습니다. 재판장님. 주지사님. "

감면이 이루어지고 언론이 환호했다. 여론이 뜨겁고 방송이 앞다투어 지난날을 파헤쳤다. 그녀는 머지않아 토렌질 하바드의 비교적 자유로운 교도소로 이감되었다. 교육이 주어지고 생애 처음으로 졸업

장을 받았다. 두 딸과 자유로운 면회가 허락되고 종교 활동과 도서관 출입이 허락되었다.

그녀가 도서관 책상에 주저앉아 펼친 책은 얄팍한 반야심경이었다.

푸른 희망이 실처럼 조여오는 시간 속에, 과거의 온갖 고통이 아귀처럼 달라붙어도 암송의 구절 속에 복받치는 울음이 볼을 타고 번지니, 모든 것은 없음이요 없음은 곧 모든 것이었다.

실체는 허공이요 형태는 허상이며 의식, 감각, 생각, 행동, 색깔, 소리, 향, 맛, 감촉, 법, 경계, 늙고 죽음, 지혜와 얻음이 모두 한가지고 다름이라. 괴로움이 기쁨이며 번뇌가 극락의 다름이었다.

시간은 앎의 기쁨에 놓여있고, 그녀는 머리를 밀고 의식을 스스로 주관하고 세상의 모든 지식을 탐하고 사랑을 표현하고 변호사의 탄원서에 서명하였다. 그리하여 41세에 비로소 자신의 의지로 어디든지 갈 수 있는 자유가 허락되었다.

그녀는 의외의 선택, 환락의 도시로 선택하고 찾아왔다.

하지만, 썩은 이들 가운데 놓이고 미쳐 날뛰는 허상과 감각에 허우적거리는 그들은 의식조차 말라버린 세상에서 이 이질적인 여인을 증오하고 구박하고 심지어 학대까지 하였다. 그저 얼마 되지 않는 적은 재산조차 아첨꾼에 뜯기고 도로 위에 주저앉은 창녀처럼 서글픔으로 말라갔으니 피곤이 몰려오고 긴 잠이 쏟아지고 미처 의식하지 못하는 몽환의 번뇌가 어찌 이 연약한 여인을 곧추세우겠는가?

그러다 만난, 긴 수로에 흙색 물길을 따라, 무거운 비가 쏟아지고, 바람이 얇은 옷깃을 세차게 때리는 그날, 부산하게 움직이는 장사꾼 배 사이에 아슬하게 놓인

한 송이 연꽃.

그 아름다움이 경탄을 불러 그녀의 속이 넘쳐흐르는 사랑으로 채워졌다. 비로소 그녀의 몸 구석구석에 각인된 경전은 세상의 허무가 안겨준 것조차 무아의 빛으로 발하니 그녀는 굴하지 않고 일어나 정

신을 가다듬고 붓다의 유언을 새기고 질퍽거리는 썩은 거리에서 연꽃을 피우고, 뿌리고 다니기 시작했다.

43세에 똥으로 가득한 길모퉁이에 그녀가 세운 작은 집은 고아들의 안식처가 되고 미혼모의 고향이 되었으며 버림받은 이들의 위로가 되었다.

선하고 부유한 어떤 이가 그녀의 소식에 감동하여 선뜻 후원이 이루어지니 버림받은 이들의 집들이 도시의 구석구석을 채우기 시작했다. 소식은 바람을 타고 선한 기자의 눈을 채웠다. 다큐멘터리가 만들어지고 여인은 두 딸과 함께 나라 구석구석을 돌며 연꽃처럼 아름다운 집을 만들어 나갔다.

하지만 45세에 버스에 올라탄 그녀는, 탐욕에 눈먼 자의 약을 먹고 쓰러졌다. 쓰러진 여인은 바다에 버려졌다. 그들은 그녀의 가방에 든 적은 금액의 여행자수표를 탐하고 달아났다.

붓다의 유언 이후, 2,500년이 지나도 인간은 변한 게 고작 이거였다.

하지만 슬퍼하지 말라 아난다여.
그처럼 말하지 않았던가.

남킹 컬렉션 #017

스네이크 아일랜드

1권

죽고싶지만 복수는 하고 싶어

남킹 판타지 스릴러

남킹 컬렉션 #018

천일의 여황제

세빈의 남자

남킹 판타지소설

레스피로디비노

아르미르 드칸은 신혼여행 중이었다. 부부는 한 달 가까이 코트다쥐르와 이탈리아의 리비에라를 돌아다녔다. 그러다 아드리아해의 작은 외딴섬에 도착한 것은 늦은 봄 오후였다.

하늘은 흐리지만, 바람은 잔잔하였다. 섬은 온통 녹색 숲으로 덮였으며 100가구 정도의 주민은 해안가에 모두 모여 살았다. 그들은 대부분 어부였다. 그도 그럴 것이 이곳은 눈을 씻고 찾아봐도 평지는 보이지 않았다. 작은 돌집과 나무, 깎아지른 듯한 계곡뿐이었다.

그리고 낡은 등대가 산 왼편, 위태롭기 짝이 없는 절벽에 세워져 있었다. 그곳으로 가는 길은 좁고 험하였다. 웬만한 젊은이들도 혀를 내두를 정도로 난코스였다.

그런 그곳을 팔순의 등대지기인, 알페르노는 일주일에 한 번씩, 마을에 내려와 먹을거리를 짊어지고 올라갔다.

아르미르가 그를 본 것은 아침이었다. 섬에서 유일한 호텔과 식당, 식료품점을 겸하고 있는 3층 건물의 베란다에서 느긋한 식사를 하던 그는, 천천히 호텔로 다가오는 알페르노를 보고는 서둘러 1층으로 내려갔다.

"안녕하세요? 영감님"

"누구신가?" 알페르노는 낯선 이의 인사에 무표정한 모습으로 그를
쳐다봤다.

"아, 네 저는 아르미르라고 합니다. 지금 신혼여행 중입니다."

"축하해요. 좋을 때군요." 알페르노는 간단하게 대답하고는 자신의
일주일 치 식료품을 챙기기 시작했다.

"한 가지 부탁이 있습니다만…." 아르미르는 그의 표정을 찬찬히 살
피면서 조심스레 물었다.

"부탁?"

"네. 등대를 구경하고 싶습니다."

"그건 안될 말이네. 위험하기 짝이 없거든…. 더구나 여자가 오르기엔…."

"저 혼자 갈 겁니다. 아내는 호텔에 머무를 겁니다."

"혼자? 신혼여행이라고 하지 않았나?"

"네. 하지만…." 아르미르는 노인의 눈치를 보면서 낮은 목소리로 말을 이었다.

"혹시 <레스피로디비노>를 아시나요?" 이 말을 듣는 순간, 알페르노의 온화한 표정이 엄숙함으로 물들기 시작했다.

"당신은 우연히 이곳을 온 것이 아니군요."

"네, 저는 고고 언어학자입니다. 주로 출처나 연대를 알 수 없는 고문서를 연구하고 있습니다. 저는 그 동굴을 꼭 보고 싶습니다."

지루한 설득이 오전 내내 이루어졌다. 그리고 마침내 등대지기는 아르미르의 청을 받아들였다. 점심을 마친 그들은 산을 오르기 시작했다. 아르미르는 노인의 짐을 분담하였다. 그들은 2시간 동안 가파른 산길을 올라 마침내 등대에 도착했다.

무거운 하늘이었다.

아르미르는 마치 죽을 듯한 표정으로 가파르게 숨을 몰아쉬었다. 하지만 이게 끝이 아니었다.

"우선, 산 정상에 올라가세요. 여기서 30분 정도 더 가야 합니다. 그리고 바다 쪽으로 난 아주 좁은 길을 내려가야 합니다. 푸른 매듭이 당신을 인도할 것입니다. 매우 조심하셔야 합니다. 경사가 심합니다."

여전히 거친 숨을 쉬는 아르미르에게 알페르노는 아주 엄숙한 표정으로 다음의 주의사항을 일러 주었다.

"그리고 동굴 속에서 100m쯤 가면 두 갈래의 길이 나올 것입니다. 그곳에 아주 섬뜩한 경고문을 보실 것입니다. 경고문을 따르세요. 절대로 어느 길로도 들어가지 마시기를 바랍니다. 지금까지 누구도 돌아오지 못했습니다."

여름을 재촉하는 소박한 빗방울이 내리기 시작했다. 그는 지친 육신을 일으켜 세운 뒤 무거운 발걸음을 다시 옮기기 시작했다. 그렇게 30여 분을 더 올라간 아르미르는 마침내 산꼭대기에 섰다.

정상에 오른 뒤 한동안 세상에 펼쳐진 끝없는 바다를 경탄의 눈길로 바라봤다. 아무리 대담하고 독창적인 환상이라도 이런 풍경을 그려내진 못할 것이라고 그는 생각했다. 바람은 지극히 섬세한 파도 선을 새기고 있었다.

고문서에서는 이곳을 <유혹의 노스렁게일>이라고 적어놓았다. 사실, 아주 섬뜩한 경고 표지와 지독하게 두툼한 장벽이 없다면, 그대로 바닷속으로 풍덩 뛰어들고픈 유혹을 느끼지 않을 수 없었다.

노스렁게일은 이 지방 토착 신앙에 근거한 용어로 천국과 지옥의 이 등분적인 내세관에서 벗어나 좀 더 세분된 믿음으로 발전한 것으로, 절제와 검소함을 최고의 미덕으로 치는 이곳 주민들에게는 욕망, 즉 내 마음이 하고픈 것을 하지 않고는 배기지 못하는 어리석은 인간이 머무른다는 형벌의 사후세계를 이르는 말이었다.

그는 바다를 사랑했다.

늘 바다 꿈을 꾸었다. 파도가 넘실넘실 밀려오는 대양 속에 그는 부유물처럼 떠 있었다. 차고 넘치는 행복감이 다가왔다. 신이 생명체를 물에서 시작하였듯이 그는 물을 보며 신을 경외하였다.

하지만 그는 이런 사치스러운 감정에 젖어 있을 때가 아니었다. 해가 지기 전에 모든 것을 마무리하고 아내에게로 가야만 했다. 그는 서둘러 동굴로 향했다.

****

동굴의 입구는 무척 좁았다. 그는 우거진 잡목을 헤치고 천천히 동굴로 몸을 들이밀었다. 그리고 램프를 켠 뒤 천천히 사방을 비추었다. 지극히 평범한 동굴이었다. 그리고 딱 한 사람이 걸을 정도의 공간이었다.

그는 크게 한 번 심호흡하고 한 발짝 한 발짝 동굴로 들어갔다. 노인의 말대로 100m쯤 들어가자 제법 넓은 광장이 나왔다. 그리고 그 끝에는 두 개의 작은 구멍이 나란히 그를 유혹하고 있었다. 구멍 옆에는 붉은 글씨의 경고문이 걸려 있었다.

절대 들어가지 말 것. 행방불명 된 자 : 33명

신선한 바람이 구멍을 타고 올라왔다. 그는 그 순간, 신묘함을 느꼈다. 그는 낡은 가방에서 문서를 꺼내어 휴대용 램프에 비추었다. 그것은 산스크리트어로 적힌 고문서 복사본이었다. 그는 천천히 그가 마크해 놓은 부분을 읽기 시작했다.

두 개의 구멍
두 개의 유혹
두 개의 세상
두 개의 인간
선과 악
그리고 두 개의 마음

쾌락과 절망
행복과 슬픔
구원과 파괴
그리고 하나의 진실
아르미르야 너는 무엇을 원하느냐?
...

1년 전, 도서관 창고에서 먼지로 덮인 낡은 책에서 발견한 장문의 시 <레스피로디비노 동굴>에는 우연히도 그의 이름, 아르미르가 13번이나 언급되었다.

그 처음은
아르미르야 너는 무엇을 원하느냐?

그 끝은
아르미르야 너는 정녕 세상을 구원하려는가? 였다.

그는 수백번도 더 이 시를 읽고 또 음미하였다. 그리고 마침내 그는
결심한 듯, 천천히 오른쪽 구멍으로 기어들어 가기 시작했다. 단 하
나의 진실을 찾아서….

그렇게 십수여 분을 더 들어가자 갑자기 세찬 바람이 올라왔다. 뒤
이어 그의 몸이 가벼워졌다. 그는 희열을 느끼기 시작했다. 구멍은
점점 커졌다.

마침내 그가 서서 걸을 정도로 넓은 광장이 나타났다. 이곳에도 똑
같이 2개의 작은 구멍이 있었다. 그리고 그 구멍 옆에는 다음의 글
귀가 적혀있었다.

서로 사랑하여라. 내가 너희를 사랑하는 것처럼….

지혜의 시대이자 몽매의 시대였다.
희망의 봄이 곧 절망의 겨울이었다.
우리 앞에 펼쳐진 모든 미래가 장미였으나 실제로는 썩어가는 낙엽
이었다.

단지 우리의 멸망이 몇백 년 지연된 것뿐이다.
모든 것은 그렇게 운명지어져 있다.
그때와 매한가지로.

두 갈래 길은 네 갈래로 다시 여덟 갈래로 그리고 열여섯 갈래로
끝도 없이 넓어지리라. 하물며 인간의 욕망이 그러할진대 대체 누가
돌아올 수 있을 것인가.

그는 두려움으로 천천히 돌아섰다. 하지만 세상으로 향한 출구는 이
미 사라졌다.

그날은 2056년 6월 6일. <종말의 일주일>로 알려진 아마겟돈이 시작되기 딱 일 년 전이었다.

서글픈
나의 사랑

남 킹 장편소설

남킹 컬렉션 #025

멋진 세상 1

엘리베이터

그녀를 처음 본 건 엘리베이터였다. 변두리 오피스텔로 이사 온 지 일주일쯤 지난 뒤였다. 건물은 더럽고 낡았다. 빈 곳이 많았고 대부분 흐리고 어두웠다. 나는 이곳에 처음 발을 디디며 정이 들 일은 없을 것으로 생각했다.

나는 비교적 자유롭지만, 이곳은 감방만큼 우울했다.

나는 허기를 느끼면 도저히 잠을 잘 수 없는 체질이었는데, 누군가는 습관이라고 하였다. 혹은 의지의 문제라고도 하였다. 그날도 12시쯤 잠자리에 들어 새벽 2시에 깼다. 그리고 한 시간을 그냥 누워 있었다.

아니, 정확히 얘기하자면, 먹고 싶다는 생각과 참아야 한다는 갈등으로 고통스러운 시간을 보냈다. 식욕은 저주스럽고 걸리적거리는 주제다. 결국, 지친 몸을 끌고 편의점에 들러, 도시락과 컵라면을 해치웠다.

동시에 먹은 것은 아니다. 도시락을 시켜 먹은 뒤, 더 먹고 싶다는 생각과 참아야 한다는 갈등을 대략 10분쯤 한 뒤, 다시 컵라면을 계산대에 올렸다.

늘 그렇듯, 욕망은 뒤끝을 남긴다. 젓가락을 딱 놓는 순간, 후회는 사정없이 몰려온다. 성욕도 마찬가지다. 찰나와도 같은 쾌락이 사정으로 마무리되면, 긴 고통이 주렁주렁 매달려온다. 여자는 내 성기에 홀쭉하게 매달려있는 콘돔을 빼서 능숙하게 묶어 휴지통에 버린다. 그리고 물수건을 손바닥 크기로 접어 내 성기 주변을 닦기 시작한다.

절망이 울렁울렁한다.

새벽 4시쯤. 지나치게 배가 부른 상태로 엘리베이터에 올랐다. 문이 막 닫히려는 순간, 누가 손으로 막았다. 작고 거친 손이었다. 남자와 여자가 올라탔다. 그는 휘청거리며 거동이 어색하였다. 그리고 그녀는 나의 맞은편 벽에 쓰러질 듯 기댔다. 여자는 허공으로 길게 한숨을 뱉더니 고개를 돌려 나를 쳐다봤다.

"아저씨, 4층 좀."

나는 말없이 버튼을 눌렀다. 허리를 잘록하게 조인 회색 트렌치코트 사이로 미니스커트가 드러났다. 화장품과 술 냄새가 퍼졌다. 그녀는 눈 위로 머리카락이 흘러내린 채, 붉은 입술을 벌리고 무거운 속눈썹을 껌뻑였다. 누가 봐도 화류계의 모습과 표정이었다.

남자는 아담하고 검었다. 하지만 광대뼈가 앙상하게 드러난 얼굴이었다. 허리끈 위로 배가 쏟아질 듯이 튀어나왔다. 엘리베이터 안전봉을 그러쥔 손등 위에 혈관이 선명했다. 팔뚝의 문신은 흐렸다. 전형적인 공사장 인부 모습이었다. 그는 구토를 느끼는지, 몸을 어색하게 수그리고 잿빛으로 변한 얼굴을 흔들어댔다. 괴로운지 혀 차는 소리도 냈다.

"쯧, 쯧, 쯧."

나는 불안과 불쾌감을 느꼈다. 안타깝게도 그의 입에서 쏟아질 오물을 상상했다. 한동안 역겨운 쉰내가 좁은 공간에 박힐 것이다. 퀴퀴

하기 짝이 없는 그 냄새. 여자는 커튼을 젖힌 적이 없다고 했다. 구석에 초라하게 박힌 자연광. 여자의 공간은 어둠과 붉음이었다. 그리고 살내와 곰팡내. 나는 헛구역질을 하곤 했다.

엘리베이터가 4층에 멈췄다. 여자가 다시 길게 한숨을 쉬었다. 이어진 정적. 남자와 여자는 내릴 생각이 없어 보였다. 창백한 기운이 물처럼 차고 넘쳤다.

"아저씨, 문 좀 잠시만…."

문이 닫히고 있었다. 나는 닫히는 문에 발을 집어넣었다. 덜컹거리며 기계가 신발을 물고 반항하였다. 그러기를 몇 번. 마침내 여자의 부축을 받은 남자는 다리를 끌며 움직이기 시작했다.

"언제든 오세요, 413호예요, 친절한 아저씨."

외우기 편했다. 나는 134호에 살았다. 나는 엘리베이터 문에 몸을 반쯤 걸친 채 그들이 사라지는 곳을 지켜봤다. 꽤 오랜 시간이 걸렸다.

남킹 컬렉션 #013

남킹의 문장 2

언어의 마법사 남킹의 문장들

남킹 판타지 소설 집

하니은 매화

남킹 컬렉션 #015

멋진 세상 2

4시 13분

내가 끌려간 건 오전 4시 13분이었다.

늘 형사는 새벽에 왔다.

나는 밤에 잘 자지 않으므로 가볍게 잠바를 걸치고 집을 나섰다. 찬 공기가 칼날처럼 얇게 배어들었다. 나는 잇새로 더러운 침을 뱉었다. 어둠은 무거웠다. 수갑을 찬 채 자동차 뒷좌석에 고꾸라진 나는 여전히 휘황찬란한 네온사인을 하염없이 바라봤다.

머리가 혼란하였으므로 얼마나 그렇게 갔는지 무엇을 구체적으로 봤는지 기억은 나지 않았다. 다만 내내 아름답다고 느꼈다. 전구가 없는 세상에 살았으면 얼마나 답답했을까 하고 안심을 하기도 했다. 번잡하고 무엇이든 깨고 다시 세우는, 그래서 늘 내 기억의 업데이트를 자극하는, 그런 세상에 파묻혀있다는 것은 어느 모로 보나 지극히 낭만적이라고 느꼈다.

복도를 따라간 뒤 막다른 곳에서 다시 왼쪽으로 꺾었다. 방은 생각만큼 작았다. 하지만 형사는 여남은 명이나 있었다. 그들은 잠시 뭐라 속삭이더니 한 사람만 남기고 모두 나갔다. 형사가 의자를 끌자 사방이 울리기 시작했다.

늘 취조실은 지하 골방에 있었다.

습하고 서늘했다. 하얀 벽면과 지나치게 큰 창문이 있었다. 나는 쥐색으로 변한 창에 반사된 나를 보았다. 맥없이 침울하고 넋이 빠진 모습이었다. 의자는 딱딱했고 책상은 모난 곳 하나 없이 둥글둥글했다. 나와 마주 앉은 형사는 얼굴이 평평했다. 그리고 뚱뚱했다. 그는 지긋이 웃으며 형식상 혹은 법적으로 행하여야만 하는 절차를 밟아 나갔다.

그리고 심문이 시작되었다.

"전과가 있군요." 형사는 기록철을 한 장 올리며 말문을 열었다. 막 인쇄한 듯 뻣뻣하고 차가운 소리가 났다.

검은 에나멜 구두가 반짝였다. 얼굴도 반지르르하였다. 바지는 뻣뻣하게 풀을 먹었는지 움직일 때마다 사각사각 소리가 났다. 그는 약간 내려앉은 의자에 꺼지듯 몸을 기댔다. 용의주도한 습관이 그의 깔끔한 의상에서 드러난다. 집요하게 그의 탐닉이 나를 훑고 지나간다.

"단순 폭행, 위조, 사기." 그가 나를 빤히 올려다본다.

"네."

"집행유예 기간이군요." 다시 나를 본다.

"네."

"조심하셔야지." 미소 띤 얼굴로 그가 중얼거렸다. 그는 이제 기록철의 마지막 장을 본다.

"…"

"왜 죽었나요?" 그는 보던 문서를 책상에 사뿐히 놓았다. 그리고 두툼한 공책을 다시 집었다.

"누구를…?"

"아시잖아요, 413호." 그는 이제 측은한 표정으로 나를 본다.

"잘 모르는 여자입니다." 나는 그렇게 말을 했다. 그리고 곧 후회했다. 이런 말을 해본댔자 무의미하단 것을 금방 알아챘기 때문이다.

"마치 피고인이 된 듯한 말투입니다." 남자는 비웃는듯한 표정으로 나를 쳐다봤다.

"죽었나요?" 나는 천천히 되물었다.

"단골이던데…. 왜? 싸웠어요?" 그는 비대한 몸에 낀 의자가 불편한 듯 자세를 고쳐 앉았다.

나는 그 순간 최대한 시간을 끌어야겠다고 생각했다. 그가 지칠 때까지.

"특히 최근에 자주 갔던데…. 월요일, 금요일, 또 월요일, 목요일…"
그는 공책을 한 장 한 장 넘겨짚으며 말을 이어갔다.

"창녀치곤 글재주도 좋아. 그는, 마치 깨알같이 적힌 책을 보듯, 코를 박을 듯이 수그리고는 읽기 시작했다."
"… 마치 남편 같다. 한 번도 없었지만 늘 있었으면 하고 바랐던 사람. 오늘도 나는 그를 기다린다. 그가 나의 젖가슴을 정성스레 빨 때면 나는 그 순간 죽어도 좋다고 생각했다…"

"뭐 이 정도면 연인이구먼." 그가 빙그레 웃으며 나를 신기한 표정으로 바라보며 히죽거렸다.

나는 아무 말도 할 수 없었다. 그녀가 글을 쓴다는 사실이 도저히 믿기지 않았다.

"근데 왜 죽였어요? 죽여달라고 하던가요?" 그는 빈정대는 듯한 표정으로 머리를 이리저리 돌렸다. 하지만 눈은 여전히 나를 뚫어지라 지켜봤다.

"..."

나는 최대한 말을 아꼈다. 그를 조급하게 만들고 싶었다. 사실 그의 인내가 바닥을 드러내고 마른 표정으로 나를 닦달하는 모습이 보고 싶었다.

잠시 침묵이 찾아왔다. 그는 계속 나를 보고 있고 나는 천천히 눈동자를 하얀 벽으로 돌렸다.

아무것도 없는 벽. 아무것도 아닌 것. 결국 모든 것은 아무것도 아닌 것. 이미 깨닫지 않았던가. 결국 바람 속의 먼지인 것을. 아귀처럼 닦달하는 인간 군상이 측은하게 느껴졌다.

형사는 이제 다른 차트를 만지작거렸다. 이윽고 하나를 꺼내 첫 장을 펼쳤다. 그리고는 길게 한숨을 쉰 뒤 천천히 말을 걸었다.

"당신 아내의 죽음과 관련이 있는 거죠?"

오직 기억만이 나를 수식한다.

아내의 마지막 모습은 창백했다. 오래전 그날, 내 기억에 담아두었던 바로 그 얼굴이었다.

신혼 첫날밤. 나는 비로소 그녀의 민얼굴을 마주했다. 조명은 어두웠으나 다른 느낌의 아내였다. 지나친 흥분. 서먹하고 어색한 순간. 혼란스러움이 더해졌다. 실망이라고 해야 할까? 아니, 그보다는 예상하지 못함에 대한 당혹감이었다.

그녀는 여전히 소박한 미소를 지었고 편안한 포용을 안겨 주었다. 내가 늘 찾고자 했던 그런 끌림이었다. 단지 아내에 대한 첫 이질감이 내 기억의 어느 곳에 자리매김하였다는 것만은 확실했다.

그리고 그것이 들추어졌다. 죽은 아내를 보며 감당할 수 없는 슬픔을 예상했지만 어이없게도 이질감을 먼저 느낀 것이다. 그리고 뒤이어 잊었던 혼란이 나타났다. 그것뿐이었다.

모든 것은 결국 불행하게도 아무것도 아니었다.

남킹 컬렉션 #017

스네이크 아일랜드

1권

죽고싶지만 복수는 하고 싶어

남킹 판타지 스릴러

남킹 컬렉션 #018

천일의 여황제

세빈의 남자

남킹 판타지 소설

멋진 세상 3

김진아

나흘 후 여자의 오피스텔 문을 두드렸다. 그동안 늘 궁금했다. 그녀는 김진아라고 했다. 담배 냄새가 훅하고 들어왔다. 침대는 어질러져 있다. 이불과 베개가 구석에 나가자빠져 있었다. 누군가 방금 다녀간 게 분명했다.

간단한 흥정이 이어지고 돈을 건넸다. 큰돈은 아니지만, 궁핍한 시절이었으므로 부담은 되었다. 하지만 어쩔 수 없었다. 참을 수 없는 성욕이 찾아오곤 하니까. 곧바로 우리는 옷을 벗었다.

여자의 방은 좁았다. 아니, 좁게 보였다. 오피스텔의 모든 호실은 똑같은 크기의 원룸이다. 배치만 다를 뿐이다. 나의 방은 주도로와 닿아 있다. 햇빛과 그늘이 공존했다. 어둠과 밝음이 선명했고, 비는 늘 바람을 타고 왔다.

그녀의 방은 지나치게 어두웠다.

바람조차 스며들지 않았다. 그을음 같은 흐릿하고 음흉하기까지 한, 햇살이 비스듬히 구석을 쬐고 있었다. 이불을 들썩거리자 잔뜩 밴

땀 냄새가 올라왔다. 향수와 곰팡내, 땀내가 절묘하게 섞였다. 그리고 무척 푹신하고 끈적한 침대가 있었다. 섹스하기 불편했다. 마치 펄 속에 빠진 듯했다.

그녀는 정성스럽게 나의 모든 부위를 핥았다. 심지어 리밍까지 하였다.

그녀는 무척 크고 물컹한 유방을 지녔다. 털은 지나치게 꼬불꼬불하고 까칠하였다. 나는 그 순간, 그녀를 까맣게 물들이고 싶다는 충동을 느꼈다. 엉덩이만 컸다면 영락없는 흑인이었다. 나도 그녀의 음부를 핥았다. 약간 비릿하면서 시큼한 맛이 났다. 그녀는 냉이 외음부나 속옷을 적시고 발효하여 내는 묘한 냄새를 풍겼다. 땀이 찬 운동화에서 나는 냄새 같기도 하였다. 그다지 먹고 싶다는 생각은 들지 않았다. 할 수 없이 고인 침을 조금씩 조금씩 뱉어냈다.

여자의 연기력은 형편없었다. 제발, 형식적인 신음은 내지 않기를 바랐다. 그녀는 무표정으로, 그저 날숨에 맞추어 비음을 삐져 냈다. 그럴 때면, 나는 서글픈 생각이 들었다. 환상에 취하고 싶었으나 현실은 불편하고 고단한 늪이었다.

여자는 숨이 턱 끝에 닿은 척, 헉헉거렸다. 그리고 얼마 지나지 않아 곧 멈추었다. 나는 쓰러지듯 드러누웠다. 관자놀이에서 피가 뛰는 것을 느꼈다.

아직 한 시간 50분이나 남았다. 나는 여자에게 배달 음식을 요청했다. 그리고 공간의 냄새와 빛깔을 음미한다. 나는 흐릿하게 절단되어 스스로에 갇혀있다.

나는 박카스 병을 쭉 들이키고는 탁하고 탁자에 놓았다. 쩝 하며 입맛을 한번 다시고는 먹다 남은 김밥과 단무지를 은박지에 다시 싸서 휴지통에 버렸다. 미련이 남는지 물끄러미 버린 곳을 쳐다봤다.

나는 물휴지를 한 장 꺼내 탁자를 정성스럽게 닦기 시작했다.

귀찮기 짝이 없는 결벽증이지만 당최 떠날 생각을 하지 않는다. 오히려 나이가 들수록 더 찰싹 붙어서 괴롭히고 있었다. 나는 물휴지한 장을 더 꺼내 탁자 전체를 다시 닦고 마른 휴지로 물기까지 없앴다. 그러는 동안 그녀는 신기한 듯 말없이 나를 쳐다봤다.

검은 복도로 다시 나왔다. 그리고 천천히 걸으며, 영수증에 찍힌 그녀의 본명을 중얼거렸다.

'이순례'

내가 찾는 그녀가 맞다.

거리를
비워두세요

남킹 음악 에세이

남킹 컬렉션 #020

멋진 세상 4

4명의 증인

세상과 소통하는 아주 작은 창이 붉게, 푸르게, 그리고 투명해졌다.
시간과 공간이 마치 정지한 듯 흐느적거렸다. 형사는 지친 기색이
역력하였다. 나는 숨을 얕게 쉬었다.

머릿속이 늪에 빠졌다. 삶을 이는 괴팍한 상상이 펼쳐진 대지에 홀
로 선 나는, 이미 속단할 수밖에 없는 곳까지 와버렸다. 무엇이 문제
인가? 나는 궤도의 이탈에 순응하였고 여자와 사랑을 나누었고 알
순 없지만, 그저 걸을 수 있는 길들이 여기 이렇게 펼쳐져 있지 않
은가? 그나마 사람들이 말하는 그 정상궤도라는 것조차 온갖 탐욕
과 사치를 향한 욕구적 행위에 불과한 건가? 음울한 허탈감이 짓누
르고 있었다.

"13일 밤 이야기를 합시다."

"그날은?…"

"그렇죠. 당신이 김진아를 만난 마지막 날이죠. 그렇죠?"

"네. 아마도."

"아마도 가 아니라 확실합니다. 모든 증거가 다 확보되었어요. 아시겠어요!"

나는 육체적 욕망에 감정을 추스를 수 없는 상황을 겪곤 하는데, 그날이 그러했다고 대답했다. 4층의 복도를 지날 때 실제로 나는 온갖 음흉한 생각으로 쾌락의 언덕을 막 건너는 듯한 환상에 잡혔었다.

"그런데 왜 사라졌어요?"

"…"

"한 달에 일주일은 사라지더군."

"늘 그런 건 아닙니다."

"뭐, 딱 규칙적이지는 않지만 대충 그렇다는 겁니다. 맞죠?"

"네. 얼추."

"비즈니스 때문은 아니죠?"

"네, 아닙니다. 개인적인 용무죠."

"그 용무가 뭡니까?"

"귀농을 준비합니다."

"그곳이 어딥니까?"

"뭐 딱히 정해진 곳은···"

"···"

나의 말이 끝나기 무섭게 뚱뚱한 형사는 무서운 표정으로 변했다. 그는 골똘히 생각에 잠긴 듯 보였다. 침묵은 재깍거리는 시계 소리를 확대하였다.

침묵의 시간이 아주 느리게 그리고 길게 흘렀다. 그리고 다른 형사가 들어왔다. 짧은 머리가 길어졌고 둥근 턱이 날카로워졌다. 두꺼운 문서는 여전하지만, 그는 가벼운 노트패드와 휴대용 인쇄기를 내 앞에 펼쳤다.

그는 간이 서랍을 벌컥 열었다. 형사는 A4용지 한 묶음을 집어 프린터기에 채워 넣었다. 탕하는 소리와 그르렁거리는 소음이 다시 이어졌다. 잠시 침묵 뒤에 인쇄기는 다시 종이를 토해냈다. 그는 다시 자리를 잡아 앉더니 나를 물끄러미 쳐다봤다. 귓바퀴가 뭉툭하게 말려 묘하게 생긴 귀가 거슬렸다.

"13층에 사시죠?" 같은 질문이 또 이어진다.

나는 그의 표정이 인쇄가 끝날 때까지 기다리라는 것인지, 아니면 계속 진술을 하라는 것인지를 몰라, 어리둥절한 채 머뭇거렸다.

형사의 목이 껄떡거리며 움직인다. 따가운 시선이 나의 어딘가에 고정되었다. 나는 그와 천장과 바닥, 벽을 번갈아 본다. 사방은 하얗고 단순하며, 초점을 맞추지 않은 시선은 구름처럼 몽환다웠다. 두꺼운 마음의 사슬이 진눈깨비처럼 무겁게 가라앉는다.

나는 이제 무척 많은 것을 듣고 말해야 한다. 그는 나를 그냥 놔주지 않을 것이다. 나는 어휘 선택에 세심한 신경을 써야 한다.

"네." 옷이 그에게 좀 끼여 보였다. 그는 의자에서 몸을 움직여 새로 자세를 잡았다.

"언제부터 살았나요?" 나는 숫자를 잘 기억하지 못한다. 아주 비가 많은 날에 이사를 왔다는 기억밖에 없다. 하지만 나는 이제 나와 관계한 날짜를 모두 정확하게 기억하게 되었다. 반복 학습의 효과. 그들은 앵무새처럼 질문하고 또 질문한다. 마치 그 모든 숫자가 내 삶을 조형하는 무척이나 뜻깊은 의미가 되는 듯 새기고 또 새긴다.

넉 달 전. 4월 13일부터. 그는 무심한 듯 자판을 두드리기 시작한다. 그리고 노트패드 화면을 돌려 내게 보여준다.

넉 장의 사진. 4명의 인간. 그들은 모두 밝게 웃고 있다.

"지난 13년 동안, 당신이 교도소를 들락날락한 8년을 제외하고, 당신이 거주하는 곳 혹은 근처에서 발생한 실종자들입니다."

그는 내게 확실한 존댓말을 사용한다. 뭔가? 아직 내게 확신이 없는 건가?

"알고 있죠?"

"네."

"어떻게 알고 있죠?"

"작년에 이미…"

"그때는 용케도 잘 빠져나갔더군요. 용의선상에 맨 처음 올랐는데도 말입니다."

"…"

"확실한 알리바이와 증인이라…" 그는 혼잣말로 중얼거렸다.

간단했다. 그들에게 입막음 돈을 안겼다. 빳빳한 현찰을 보고 있는 행복한 그들의 모습. 진화는 엉뚱한 방향으로 흐르기도 한다.

탐욕이 모든 가치를 덮어버리는 쪽으로.

"대담한 거예요? 아니면 무모한 겁니까?"

"네?"

"김진아, 아니 이순례가 실종되면 모든 화살이 당신을 향할 거라는 것쯤은 알 텐데?"

나는 준비된 것만 지각한다. 애쓰지 않음과 애씀이 그저 살고 죽는 것만큼, 이제 그 차이는 빈약하다.

"김진아 씨가 실종되었나요?" 나의 반문에 형사의 얼굴이 굳어졌다.

"박칠규씨, 이보다 더 명백한 연결고리가 있을까요? 4명의 증인. 당신 아내에게 불리한 증언을 한 사람들. 아주 공교롭게도 당신이 증인 근처로 이사한 몇 달 사이에 적절하게 맞추어 사라졌더군요."

살인이 일어났고 아내가 희생되었다. 네 명의 목격자가 있었고 하나의 피의자가 재판에 넘겨졌다. 그는 무척 많은 재산과 권력을 소유했고 훌륭한 변호사를 선임했다. 이제 여러분은 여기에서 뭔가를 느낄 것이다.

그렇다. 당연하게도 그는 무제로 풀려났고 증인들은 하나같이 그를 감쌌다.

인생은 살 가치가 있는 것인가? 이것만이 가장 중요한 문제다.

" "
....

"자 이제 본론으로 들어갑시다." 그는 안경 너머 긴 눈썹을 끔뻑이며 나를 지긋이 쳐다봤다.

그는 나와 관계된 여러 장의 문서를 주섬주섬 꺼내 놓기 시작했다. 나의 행적과 사람들이 나를 평가한 것들이다. 그들은 지식의 단편들을 모아 그다지 습관적이지 못한 비정형의 인간을 규정해놓았다.

"복수했군요. 그것도 아주 치밀한 계획에 따라서." 바싹 메마른 향내가 기관지의 까슬한 목구멍을 건드리며 지나갔다.

사회는 위법자들을 요구한다. 독소를 이용하여 자신의 항체를 키운다. 나는 결국 바이러스의 운명을 타고난 거다. 멋진 세상.

"네, 그런 셈이죠." 나는 덤덤하게 자백하였다. 형사의 얼굴이 보름달처럼 밝아졌다.

가끔은 하고 싶지 않은 것을 자발적으로 할 때도 있다. 피곤한데 깨어 있는 다던지, 조용히 있고 싶은데 음악을 높인다든지, 걷기 싫은데 등산을 하곤 한다. 고통의 수용. 그러다 보면 가끔 고통이 반가울 때도 있다. 그러다 보면 중독이 되기도 한다. 고통의 기쁨.

"하지만 치밀하지는 않았습니다. 그랬다면 여기 있지도 않았겠죠."
형사는 크게 한바탕 웃고는 비쩍 마른 손을 탁하고 책상에 놓았다.

나는 실패가 베푸는 위안에 파묻혀있다.

"그건 모르죠. 이것 또한 당신 계획의 일부분일 수 있으니까. 당신은 그러고도 남을 만큼 영악하니까."

"자, 이제 당신의 그 멋진 살인 계획을 이야기해 볼까요?"

"네. 하지만 살인은 아닙니다."

"그럼?"

"납치죠." 이따금 행복감을 만끽하던 어떤 순간들의 조용한 속삭임을 느낀다.

"그럼?"

"네. 아직은···."

"그럼?" 파멸이나 파국이 이미 진행되고 있다.

"하지만 죽게 될 겁니다."

"어떻게?" 실룩거리는 입술. 나는 할 이야기가 별로 없었다. 나는 그저 찰나처럼 지나가는 몸짓, 행동, 형상, 분위기, 착시 등에 더 관심이 다가왔다.

"제가 갇혀있는 동안에…. 굶어서…." 어수선한 낯선 공기가 흘러내
렸다.

<끝>

사랑 그 쓸쓸함에 대하여

남킹 음악산문

남킹 컬렉션 #021

남킹의 문장 1
브런치 스토리

남 킹

남킹 컬렉션 #022

고통과 번뇌

"그녀의 이름은 외우기 힘들었을 정도로 생소했습니다."

"류예나 씨 말이죠?"

"네, 발음하기도 까다로웠고." 나는 천성적으로 발음 흉내 내기가 약했다. 즉, 상대방이 잘 못 알아듣는 경우가 종종 발생했다. 하지만 더 큰 문제는 발음 알아듣기도 약하다는 것이었다.

"그녀는 무척 말이 빨랐어요. 그래서 제가…. 잘….”

나는 생각나는 대로 대충 두서없이 지껄였다. 다만 형사가 만족하기를 원했으므로 중간중간 말을 끊으며 그의 표정을 살펴보곤 했다.

약사를 알게 된 건 정오가 지난 무렵이었다. 세 개의 전철이 교차하는 지점. 낡은 건물과 좁은 방이 무정형으로 얽어진 그곳은 동네 유일한 약국이었다.

나는 비아그라를 요구했다. 그녀는 빤히 쳐다보며 웃을 뿐이다. 약간의 오만함이 묻어 있다. 그녀는 처방전을 요구했다. 처방전이 있을리가 없다. 나는 애초에 그녀를 수긍할 만한 어떤 것도 갖추고 있지 않았다.

나는 경박한 바람둥이었다. 나는 여자와 하는 이상한 줄다리기 같은 것에 쭉 빠져있었다. 아마도 그녀가 내게 넘어오는 순간, 나는 자기 삶에 대한 당위성을 얻는 착각에 빠졌는지도 모르겠다.

****

초인종 소리에 잠을 깼다. 잠시지만 꿈으로 착각했다. 하지만 곧이어 두 번 더 울렸다. 날은 여전히 어두웠다. 나를 방문하는 이는 그동안 거의 없었다. 기껏해야 택배 물품을 문 앞에 두고 가며 한 번씩 벨을 누르는 게 다였다. 그마저도 요즈음에는 경비실에 맡기고, 문자 메시지만 남긴 채 그냥 가버리곤 했다.

나는 누운 채 잠시 망설였다. 궁금하지만 귀찮기도 하였다.

'똑똑' 이번에는 문을 손으로 두드리는 소리가 들렸다.

방의 불을 켰다. 별안간 쏟아지는 불빛에 눈을 찌푸렸다. 지나치게 형광등이 밝았다. 당최 익숙해지지 않는다. 방의 모든 곳에 빛이 반사되었다. 공간은 선명하고 두드러져 보였다.

피로가 몰려왔다. 머릿속은 흐릿하고 정처 없었다. 매일 아침 눈을 뜰 때 보이는 것은 분명 그 전날보다 열악한 상태로 존재한다. 그런데 빠져나갈 이 모든 것들. 만남과 몸부림과 꿈은 계속 퍼붓고 흘러넘친다.

나는 늘 어둡게 지냈다. 광채 없는 적막을 즐겼다. 반사되지 않은 곳에 스며든 은은한 흔적.

흑백 모니터에 여자가 보였다. 문을 열자 쓸쓸한 미풍이 흘렀다.

그녀는 평범한 얼굴이었으나 잔주름이 많았다. 어쩌면 생각보다 무척 늙었거나 파란만장한 인생을 살았는지도 모르겠다. 그녀의 봉긋한 드레스 자국에 축축한 시선이 머문다.

등허리를 침대 가장자리로 밀어 올렸다. 연한 눈물이라고 생각했다. 광채가 일정하게 피어나는 투명한 액체가 담긴 크리스털 잔을 내려놓은 듯하였다.

그녀는 술을 마셨다. 웃음이 많아지고 손동작이 빨라졌다. 그녀의 취한 모습은 여러 가지로 흥미롭다. 무엇인가에 닿고 싶어 하는 본능을 억제하기 힘들어하는 것을 느낄 수 있다.

나의 볼과 이마, 입술에 루주 자국이나 가끔 상처를 내기도 하였다. 무의미하거나 반복적인 장난도 이어지고 이따금 감정의 큰 변화에 휘둘리기도 한다. 다른 사람이 되는 것과 본인으로 돌아가는 과정이 지나치게 빠르기도 하다.

그저 삶이 뒤틀리는 과정에서 꿈틀거리며 유영하는 그녀는, 일찍 폭력의 바다에 있었다. 아버지, 어머니, 오빠, 친척, 친구, 동네 양아치 모두 연관되었다. 놀랍게도 그러함 속에 느긋하게 헤엄치는 그녀는 나빠질 수 없는 인생의 정점을 헤쳐 나갔다.

나는 나를 감싸는 욕망을 이야기한다. 나의 정신은 그녀의 탐스러운 피부에 꽂혀있고, 여자는 내가 늘어놓는 말속에 편안함을 표현하고 있다.

늘 비슷한 유형의 단색 옷만 보다가 몇 가지 기교가 들어간 드레스 느낌의 옷을 보니 절로 성욕이 솟아올랐다. 몸의 기능들이 한 곳으로 쏠리는 느낌이었다. 입고 있던 옷들이 답답해질 정도로 부풀어진 것 같다.

나는 거칠게 그녀의 젖가슴을 만졌다. 여자는 혼곤한 저항으로 나를 밀쳐내고만 있다. 하지만 나는 알고 있다. 내가 진정 바라는 파멸의 고리는 이것이라는 것을.

약사는 말했다.
"하나님은 이 모든 죄를 용서하십니다."

여자의 가슴을 내게 밀착한다. 납작하지만 감촉은 전해진다. 얇은 천이 전해주는 유혹은 강렬하고 뜨겁다. 발기가 되고 걸음이 어색해지기 시작한다. 발정 난 성기를 좀 더 간편하게 감출 수 있는 진화된 동물이었으면 좋겠다고 생각했다.

나는 옷을 벗기기 시작했다. 거친 호흡이 검은 하늘에 흩뿌려지듯 날아갔다. 나의 행위에 힘들어하는 모습이 슬프고 우습다. 욕정에 사로잡힌 고깃덩이. 약사는 으르렁거리며 욕지거리를 내뱉기 시작한다.

"미친 새끼!" 파고드는 나의 얼굴에 여자의 증오가 매달렸다. 어깨에 깨알 같은 소름이 돋았다. 거친 손찌검이 이어진다. 여자는 공포에 차서 떨기 시작했다. 그리고 가슴이 북받치는 듯 흐느껴 울기 시작했다. 나는 역정을 억지로 삼켜버리고 있다.

모든 삶은 그냥 들쭉날쭉하다.

여자는 초췌해진 모습으로 물러선다. 얼굴에는 선혈이 묻었다. 전신에 차가운 소름이 돋았다. 그녀는 내 옆에 앉은 채로 속을 모두 게 워냈다. 수챗구멍에서 나는 냄새가 풍겼다. 그리고 그녀는 나자빠졌다.

검은 눈은 초점을 잃은 채, 눅눅한 천장을 줄곧 응시했다. 설핏 의식이 나간 듯하였다. 하지만 푸르죽죽해진 입술은 쉼 없이 움찔거렸다. 목에는, 막 곪기 시작한 종기 같은 멍울이 몇 개 보였다. 선명히 드러난 쇄골 아래로 절망이 흐른다.

다들 불행하므로 그다지 불행하지 않은 세상이다.
고통과 번뇌가 쭉 뻗쳐오른다.

알리칸테는
언제나 맑음

남 킹 에 세 이

남킹 컬렉션 #023

길에 내리는 빗물

남 킹 소 설 집

남킹 컬렉션 #024

금요일 오후, 기다림

카페는 넓고 조용했다. 그리고 복층이었다. 2층 계단 모서리에는 뜬금없이 고딕 석상 풍의 포효하는 사자상이 덩그러니 놓여 있었다. 나는 구석진 자리를 잡으려다가, 넓은 창에 비친 푸른 바다에 매료되어 창가로 앉았다. 그리고 냉커피를 주문했다.

전망은 훌륭했다. 넓은 8차선 도로 너머에 좁은 몽돌해변이 뉘었고, 백색의 물거품이 마치 경계처럼 길게 줄을 그은 너머는 온통 바다와 하늘뿐이다. 푸르름이 보석처럼 반짝거렸다. 대기는 아직 먼지 자국이 남아 흐렸다. 하지만 끔찍한 스모그가 세상의 모든 아름다움을 덮은 어제를 생각하면, 오늘은 그저 고마울 따름이다.

바닷바람이 해변에 꽂아 놓은 깃발들을 간간이 흔들고 있다. 나의 가슴도 덩달아 뛰었다. 이따금 간헐적으로 깊은 한숨이 올라왔다. 바지에서 사각거리는 소리가 났다. 정장이 불편했다. '너무 오랜만이라 그런가?' 나는 답답하기만 한 넥타이를 살짝 잡아당겨 풀고는 길게 숨을 한번 내뱉었다. 그러자 입이 바싹 마르기 시작했다.
창가로 쏟아지는 햇살이, 에어컨 바람의 날카로움을 상쇄시켰다. 나는 냉커피에 꽂혀 있는 빨대에 입술을 가져다 대고 쭉 빨아 댕겼다. 달콤한 차가움이 목을 타고 텅 빈 속을 훑어 내려갔다. 그러자 주변을 감도는 여성 재즈 싱어의 끈적한 목소리가 귓가에 이명처럼 들려왔다.

공기는 커피 향으로 엉겨있었다. 잠시 멍한 상태로 있던 나는, 휴대
전화 버튼을 눌러 시간을 확인했다. 여자가 오려면 아직 3시간 30분
이나 남았다.

언제나 나는 그랬다. 약속 시각보다 항상 많이 일찍 온다. 기다림을
좋아한다. 멍하니 앉아 아무 짓도 하지 않는 게 좋다. 한가로우면서
도 여유로운 냄새를 본능적으로 좋아했다.

나는 외로이, 안락한 레스토랑에 앉아 오랫동안 하늘과 바다, 스치는
사람, 그리고 레몬과 코코아가 그려진 메뉴를 바라봤다. 스치는 사람
과 망설이는 사람들의 몸짓에 시선을 따라가거나 주변 손님들의 수
다에 저절로 집중하여 관심을 돌우기도 하였다.

레스토랑은 천천히 비었고, 하루도 덩달아 저물어가기 시작했다. 오
고 가고 앉아 마시고 말하고 쳐다보고 걷던 이들이 사라짐을 느낀
건 잠깐 한순간이었는데, 그 순간은 오싹하게도 나 자신이 처량하고
고독하기 짝이 없는, 그래서 정말이지 절망적인 비련을 느꼈다고 해
야만 할 것이다.

사실 그다지 나쁘지 않은 상황인데도 말이다.

계산을 마친 나는 투명한 유리문을 열고 빈 탁자가 놓여 있는 테라스로 나갔다. 파리한 초저녁 하늘 사이로 그녀의 모습이 보였다. 그녀는 건널목에 서서 신호를 기다리고 있었다.

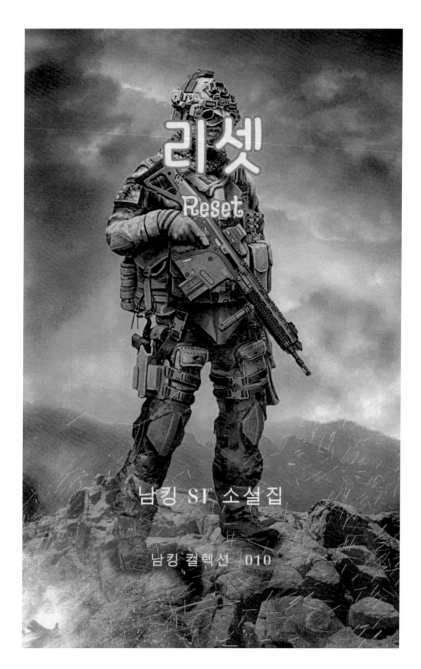

리셋
Reset

남킹 SF 소설집

남킹 컬렉션 010

남킹 컬렉션 #011

1월의 비

남킹 감성 소설집

떠도는 영혼

희대의 천재이자 조현병 환자였던 아놀드 내시는, 자신이 보이지 않는 검은 세력의 첫 번째 표적이 되었음을 인지하고, 가우타의 비밀 계정을 해킹하였다.

그는 스스로 사피엔티아가 되기를 원했고, 가우타는 그에게 12의 형제를 주었다.

그는 자신이 보유한 모든 정보를 가우타와 공유하기 시작했다.

그로부터 3년 뒤, 그가 사는 인구 10만도 되지 않는 도시에 첫 번째 핵폭탄이 터졌다.

아니룻은 흔적도 없이 사라졌다.

인구 천만 이하의 도시에 떨어진 유일한 핵폭탄이었다.

그는 아마겟돈에서 희생된 첫 번째 사피엔티아다. (<릴리안 나리>의 <호모 사피엔스 기록> <대멸종 편> 66장 99절)

이야기는 조각처럼 이어졌다.
각 사건의 단락은 뒤틀리고 휘어졌지만 추리는 비약하지 않았다.

4층 버튼을 누른 남녀는 지나치게 야하고 속물다웠다.
남자는 끈적거리는 더러운 손으로 여자를 끌어당기며 흐물거린다.

안티노오스의 얼굴.
여자는 붉은 입술을 한껏 벌리고 숨을 내뱉는다.

4와 13 버튼만 불을 밝힌 엘리베이터 안.

아니룻의 시선이 멈춘 천장.

번질거리는 노란 빛에 벌레가 가득하다.

싸구려 화장품과 값싼 위스키 향이 공간을 채운다.

여자가 꿈틀댄다.

게을러터진 승강기.

16층 오피스텔.

2개의 엘리베이터.

4개의 패널.

그는 오른쪽 엘리베이터를 탔어야 했다.

문이 닫히고 나서야 알았다. 불길하기 짝이 없는, 4층 방을 유일하게 사용하는 그녀가 탔다는 사실을.

멍청한 시공사는, 이곳이 온갖 잡동사니 인종들이 섞여 있는 우범지역이라는 사실을 알면서도 고급 오피스텔을 지었다.

날이 갈수록 고상한 사람들이 떠났다.

언제나 적막한 복도. 넋들이 서성거린다.

당연하게도 성한 게 남아날 리가 없다.

모든 가치 있는 것은 뜯어지고 사라졌다.

공동묘지처럼 썰렁한 빌딩은 이제 누더기로 붙여 이어졌다.

막바지에 몰린 인간들이 터를 잡는다.

만일 그가 재기할 생각이었다면 이곳에 오지도 않았을 것이다.

파멸이 눈앞에 있다.

이것만이 명백한 사실이다.

낮고 기분 나쁜 쇳소리와 함께 엘리베이터가 4층에 멈췄다.

아니 추측했다.

오른쪽 패널에는 4가 없다.

5번 버튼이 깜빡인다.

그리고 왼쪽 패널에는 13이 없다.

그가 사는 12층을 가기 위해 그는 종종 13을 눌러야 한다.

한동안 혼란스러웠다.

16층 오피스텔에 4와 13이 하나씩 만 없는 패널을 가진 2개의 엘리베이터.

왼쪽 엘리베이터는 코너를 디귿으로 돌아야 나타난다.

그리고 정확히 오른쪽 엘리베이터와 반대다.

13과 4가 하나씩 빠진 패널.

문이 억지로 열린다.

여자가 크게 하품하며 내린다.

남자가 쓰러질 듯이 흔들거리며 뒤따른다.

문이 닫힌다.

낡은 쇳덩이는 흔들리고 기우뚱거리더니 부르르 떤다.

기계는 잠시 생각에 잠긴 듯하더니 오르기 시작한다.

긁히고 갉힌 벽에 붙은, 오래된 거울이 간당간당 달려있다.

텅 빈 거울.

반사되지 않는 물건.

구석을 가득 채운 쓰레기.

쓸모를 잃은 것들.

이곳을 장식한 모든 낡음은 소멸을 심미적으로 표현한다.

자포자기가 바닥을 채웠다.

그는 이제 어떤 행동에도 삶의 의지가 없다.

그는 자기의 영혼을 흩뿌릴 속셈이다.

순환을 거부하고 살아 숨 쉬는 개체로서의 잉태 가능성을 막을 것이다.

오른쪽 13번 버튼과 왼쪽 12번 버튼이 반짝인다.

엘리베이터가 정지한다.

잠시 기계는 자신을 음미한다.

이윽고 문이 열린다.

텅 빈 복도.

자욱하게 번진 어두움.

바람이 몰고 간 비닐.

노란 번득임이 까딱거린다.

형태를 알 수 없는 잡동사니.

무관심이 방치되어 있다.

그 속을 헤치며 그는 1214호에 멈췄다.

1213호는 없다.

하지만 뜯겨 나간 자국을 자세히 보면 알 수 있다.

이곳이 원래 1213호였다는 것을.

낡은 문.

녹슨 손잡이.

그는 버튼식 현관문에 손을 가져간다.

8.8.8.8.

그가 기억하는 유일한 숫자.

1214를 모두 합쳐 만든 번호.

그는 현관을 점령한 낡은 신발 무더기를 헤치고 들어간다.

어지러운 방. 갈가리 찢어진 그의 삶이 마지막으로 남긴 흔적들.

자취를 감춘 기억 더미.

버려진 물건에는 유령조차 스며들지 않는다.
갈라지고 으깨어지고 파이고 마모되고 더러워진 것들.
한때 그의 욕망에 이용되었던 가여운 것들.

그는 세상 무엇보다 가볍다.
오래된 침대에 몸을 뉘어도 먼지조차 반응이 없다.
공허함이 공간을 채웠다.
검은 얼룩이 굴곡으로 그려진 천장.
무정형으로 번진 자국이 소음을 삼킨 듯 음울하다.

그는 변덕스럽다.
즐거움과 우울함이 공존한다.
누른 한 줄기 햇빛은 고통이고, 가녀린 주황색 햇살은 안락함이다.

밤에는 웃고 낮에는 두렵다.
그는 매번 절벽을 뛰어드는 발작에 깨지만 허공을 지탱할 손잡이는 없다.
끝을 알 수 없는 미궁.
빈 곳은 좁아진다.
날이 갈수록 그는 위축된다.
머뭇거림과 서성거림이 더해진다.

떠날 수 없는 가여운 영혼.

"…"
음성이 들린다.
지나치게 얇은 벽.
여자의 목소리가 속삭이듯 전해온다.
신음. 삐끗거리는 녹슨 침대. 거친 호흡.
익숙한 그녀의 음성.
사방으로 흩어지는 날카로운 소리.
그는 두려워지기 시작한다.

가까이에 그녀가 있다.
4층을 독차지한 여자.
녀석과 정사를 펼치고 있다.
공기 전체를 흔드는 진동.
손끝이 떨린다.
여자는 틀림없이 4층에 내렸다.
내 눈으로 똑똑히 관찰하지 않았는가!
늘어진 철문이 힘들게 닫히던 그 순간을.

혼란과 두려움이 엉킨다.

세상이 삐딱하게 어긋난다.

그의 공간이 그 어디인지 모르는 곳으로 되었다.

그의 몸이 산지사방으로 흩어질 때도 이러진 않았다.

현실이 상상을 누른다.

이어지는 소음.

찢어질 듯 앙칼진 비명.

이건 절정의 순간을 수식하는 메아리가 아니다.

벽에 부딪히는 둔탁함. 사랑과 절망이 공존하는 역설. 높낮이가 거칠
게 바뀌는 호흡.

묵은 기억이 풀어지며 흐느적거린다.

어느 때 같지 않은 마지막 여정.

그러다 절망적인 목소리가 벽을 타고 할퀸다.

낮은 소음.

<아무것도 없음>으로 돌아가는 낯선 여정.

색깔과 소리가 사라진 세계.

어둠은 온갖 색상을 포용한다.

그는 기억한다.

모든 햇살이 꽉 들어찬 오후의 공원.

황량한 그를 뛰게 만들던 여인. 그가 보는 모든 것은 사랑스러움이었다.

그녀가 그에게 들어왔다.

마치 그의 몸은 빈 것으로 된 듯, 처음에는 평온함이, 잠시 뜸을 들인 뒤, 결국에는 행복감이 구석구석을 채운다.

비로소 그는 존재하기 시작했다.

"당신은 원칙이 전혀 없어 보여요." 그래서 여자가 그를 좋아한다고 했다.

사색의 날들은 꿈처럼 이어진다.

환함과 조화로움이 형상되어 눈 앞에 펼쳐진다.

"태어나면서부터 당신을 찾은 거야.

그렇지 않다면 어떻게 내 모두에 당신이 있겠니?"

"터져버릴 지경이야." 숨이 턱 끝에 걸려 대롱거린다.

여인은 눈을 맞추고 그의 입술에 손을 댄다.

어리석은 관념은 떨쳐야 한다.

불길하고 천한 현실은 애써 던져버려야 한다.

두텁고 녹슨 창문이 갈색 바람을 쏟아 낸다.

끄덕 끄덕거리며 열림과 닫힘을 반복한다.

그는 무기력하다.

가냘픈 힘조차 남아 있지 않다.

모든 보임은 수동적이고, 바람은 의지와 상관없이 놓여있다.

가녀린 길에 놓인 낮은 하늘. 공포와 절망이 덮친 대지. 개인의 행복 따위는 용납하지 않는 법.

지구에서 언제나 인간은 낯선 존재였다.

진실하지 않은 게 더 진실 같은 이상한 고등 동물.

거짓과 탐욕, 폭력과 파멸이 온 세상을 덮었다.

지성과 선한 철학은 어둠에 덮였다.

동족을 파괴하는 기이한 생물. 멸종이 와서야 비로소 지나간 것들이 처절하게 아름답다.

아내는 눈물을 흘린다.

'내 슬픔의 모든 것. 결국, 당신뿐이었다. 늘 당신의 사랑을 갈구하였다.' 그는 뺨을 적신 피를 닦는다.

낡은 건물이 흔들린다.

사방의 갈라짐에서 먼지가 피어오른다.

특정한 곡선과 직선이 삐걱거린다.

회색으로 포장한 색들이 빛 속을 유영한다.

따사로운 감정의 흔적들.

경이로운 과거.

미천한 현재.

암울한 미래.

그녀의 호기심 어린 눈길에 그의 영혼이 따스하게 녹는다.

"죽음이 끝이 아니잖아요. 단지 당신을 보지 못한다는 게 슬플 뿐이에요." 그의 영혼이 서성거린다.

당신이 사라진 공간.

가녀린 길에 놓인 우중충한 하늘.

종말은 영혼만 남겨두었다.

서성거리는 불쌍한 관념. 폐허가 된 도시.

그는 여전히 아내의 흔적을 찾아 헤맨다.

2066년이 저문다.

오염된 검은 바람이 다시 분다.

방사능 낙진이 피어오른다.

남킹 컬렉션 #012

남킹의 문장 1

언어의 마법사 남킹의 문장들

남킹 판타지 소설집

하니은 매화

남킹 컬렉션 #015

개장수

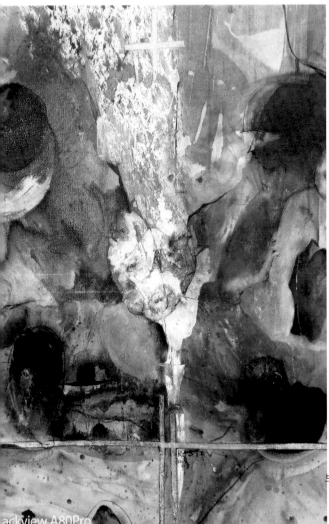

방안의 푸른 기운이 사라지면서 사물들의 윤곽이 뚜렷하게 다가온다. 해가 변함없이 떠올랐다. 나는 눈을 뜬 채 누워 한동안 멍하니 천장을 바라보고 있다.

얄팍한 꿈결 속을 채우던 것들이 두서없이 생각이 난다. 편집증적으로 온 정신을 쏟아 내던 어느 날 아침. 바닥의 널판들이 시리도록 차가웠던, 골방에서 뿜어져 나오던 하얀 연기. 마루를 채우던 구시렁거리는 소리. 속으로 뇌까리던 절망스러운 그리움. 뾰족한 침엽수림 속의 환희.

그녀는 코듀로이 남방에 짙은 머릿결을 흩날리며 돌아선다. 창백한 살결에 짙은 그림자를 드리운 눈동자. 가는 다툼으로 이어진 긴 노정은 끊어진다. 부재가 만들어 낸 강한 끌림.

낡은 천장은 군데군데 얼룩이 지고 네 모서리 모두 곰팡이가 허옇게 피어, 천장만 바라본다면 폐허로 착각하기 딱 알맞다. 이 방은, 나의 청소년기 대부분을 보낸 곳으로, 서울에 있는 대학을 가면서 그동안 줄곧 비어있었다. 사실 막냇동생 정수가 있긴 한데, 그는 근처에 사는 이모와 함께 살았다. 이모는 부유하지만, 자식이 없었다.

사람이 살지 않게 되자, 바퀴벌레들의 천국이 재건되었다. 지금은 온데간데없이 사라져 버렸지만, 밤에 소등만 되면, 그들은 소리소문없이 나타나, 푸덕거리며 날갯짓을 하며, 온 방을 밤새도록 돌아다닌다.

낡고 오래된 3층 아파트의 2층 끝 집에 있는 우리 집은 시장통 한가운데 세워져, 유난히 바퀴벌레, 쥐, 집 나간 고양이들이 많기로 악명이 높다. 그래서 상가 번영 위원회에서는 정기적으로 일 년에 몇 번씩 살충제와 쥐약을 집 안팎에 살포하곤 한다.

살충제를 집에 뿌린 다음 날은, 거실, 부엌, 큰방, 작은 방 가릴 것 없이 곳곳에 수없이 많은, 크고 작은 바퀴벌레들이 죽거나 죽어가고 있는 모습으로 나 뒹굴고 있는 현장을 목격하게 된다. 그러면 우리 형제는 아무렇지 않은 듯이 비질로 쓱쓱 쓸어 담아 휴지통에 버리곤 했다.

어릴 적부터 워낙 많이 봐 온 터라, 화들짝 놀라며 끝까지 추격하여 죽일 만큼 혐오스럽지도 않고, 밥을 못 먹을 정도로 비위가 뒤틀리지도 않았다. 다만 밥이나 국에서만 나오지 않는다면 말이다.

대학 때, 가까이 지내던 동기와 후배들이 한때, 여름 휴가로 우리 집을 찾은 적이 있었다. 가난한 대학생들인지라 경비 절감 차원에서 우리 집에 며칠 머물면서 가까이에 있는 몇몇 유명한 해수욕장을 둘러볼 생각이었는데, 그들 모두 하루 뒤에 허둥지둥 떠나 버렸다.

나중에 안 사실이지만, 그들은 밤새도록 잠 한숨 자지 못했다고 했다. 그렇게 큰 바퀴벌레를, 심지어 날아다니기까지 하는 것을 처음 보았다고 했다.

쥐약은 우리 집 층 계단, 복도뿐만 아니라, 시장 입구에서 끝나는 곳, 골목이나 하수구 구석구석까지, 쥐가 다닐 만한 곳에 골고루, 맛있는 음식과 함께 뿌려졌다. 쥐약을 뿌린 다음 날은, 마치 개와 고양이가 2차 세계대전이라도 치른 듯이, 시장 골목 곳곳에 혀를 내밀고 죽어 있는 광경을 보게 된다. 정작 주인공인 쥐들의 사체는 거의 보이지 않은 채 말이다.

그러면 시장 끝에 임시 건물로 세운 상가 번영회 사무실이 와자지껄

한바탕 소동이 벌어지곤 하는데, 바로 죽은 동물들의 주인이 변상을 요구하며 실랑이가 벌어지는 것이다. 하지만 손해배상이 실제로 이루어지지는 않는 것처럼 보였다. 동물 주인들도 대부분 이곳 시장 사람들이기 때문이다.

더욱이 애완동물을 돈을 주고 사서 키운 게 아니라, 알음알음으로 한 두 마리 얻어다가 가게 마루 밑에 낡은 담요 하나 깔아 주고는, 먹다 남은 음식이나 팔다 남은 생선 대가리로 키운 정성이다 보니, 매일 내 눈앞에 알짱거리다가 사라지니 순간 허전한 감정이 앞서 그런 것일 뿐, 다음 날이 되면, 언제 그랬냐는 듯이 다시 예전의 일상으로 돌아가는 것이다.

채소 가게를 하던 우리 집 개들도 3마리나 요절을 하고 말았다. 물론 변상은 당연히 없었다. 특히, 마지막으로 죽은 개는 정수가 열 살에 친엄마 품을 떠나, 낯설기만 한 우리 곁에서, 처음 사랑을 쏟았던 대상이기도 하였다. 그의 개가 죽은 날은 찌는 듯이 더운 한여름 증조부 제사가 있던 날이었다.

그 당시 아버지는 전국 팔도 공사판을 한량처럼 떠돌았다. 인물 좋고 허우대 멀쩡하지, 고향에서 유일무이하게 대학원까지 나온 식견 있는 그는, 타고난 욕정을 주체하지 못하고, 가는 곳마다 그 동네 과부와 숱한 염문을 뿌리며, 결국 동생까지 뜻하지 않게 낳게 되었지만, 위치가 집안의 종손인지라, 제사 때만은 잊지 않고 꼬박꼬박 집으로 오시곤 하였다.

즉, 어머니와 우리 형제가 아버지를 보는 날은 추석과 설날, 할아버지, 증조부모, 고조부모 제사 때와 공사판이 이 도시 근처에서 이루어질 때뿐이었다. 아버지가 오면 우리 형제들의 주머니는 두둑해진다. 그는 집에 들어오기 무섭게 자식들을 불러 모아 가져온 커다란 동전 주머니를 펼쳐 놓고 한 움큼씩 퍼서 우리에게 골고루 나누어 주셨다.

아버지는 특이하게도 잔돈으로 물건을 절대 사지 않았다. 심지어 껌하나를 살 때도 항상 지폐를 냈다. 그래서 항상 그의 여행용 가방에는 잔돈들이 가득하다. 그리고 그 돈들은 바로 우리 차지가 되는 것이다.

그뿐 만이 아니다. 서울 및 경기 지역에 흩어져 사는 네 명의 삼촌들과 세 명의 고모들이 오실 때마다, 우리들의 주머니는 점점 더 두둑해졌다. 사촌들까지 같이 오는 날에는, 우리는 볼록한 주머니를 밑

천 삼아 구멍가게에서 산 얼음과자를 하나씩 입에 물고 만화방에서 죽치거나, 플라스틱 조립완구를 사서 방구석에서 접착제 향기 맡으며 조립에 열중하기도 했다.

제사의 서막을 알리는 것은 어머니가 가게 귀퉁이 창고에서 자동차 타이어 만한 프라이팬과 접시, 제기 용품들을 꺼내면서부터다. 그러고 나서 어머니는, 삼촌들이 미리 부쳐준 돈을 우체국에서 찾아, 우리 형제들을 앞세우고 이 도시에서 가장 큰 수산시장으로 발길을 돌렸다. 버스를 2번이나 갈아타면서.

어머니는 그날 올라온 제수용 생선 중 가장 큰 놈들만 사는데, 이건 순전히 아버지 뜻에서 비롯되었다. 그의 특이한 또 한가지 버릇이라면, 바로 제사상에 올라오는 생선의 크기에 집착하는 것이다. 마치 작은 생선이면 조상님들에게 큰 죄를 짓는 것과 다를 바 없다는 듯이, 아버지는 수박만 한 대가리의 문어와 족히 1미터쯤 되어 보이는 민어에, 큰 접시에 꽉 찰 정도로 넓은 도미를 고집하시는 거였다.

우리는 버스를 온통 비린내로 채우다시피 하면서, 낑낑거리며 겨우 생선들을 가져오지만, 부푼 기대와 설렘으로 나의 마음만은 하늘을 날아다니고, 두둑한 용돈으로 평소에 사고 싶었던 조립품을 머릿속에 그려 보느라 사실 정신이 없었다.

아무튼, 제삿날은 나에게 축제 기간과 마찬가지였다. 생선 외의 것은 모두 우리 시장에서 해결했다. 채소야 당연히 우리 집 것 그냥 가져오면 되고, 과일은 바로 옆 청과물 가게에서 사 오는데, 그 집 주인은 우리 이모다. 이모는 제사 며칠 전부터 크고 싱싱한 과일들을 따로 빼놓았다가, 거의 염가로 어머니에게 넘겨주곤 했다.

사실 우리 가게도 예전에는 이모 가게였다. 이모는 처녀 시절부터 독립하여 이곳에서 과일가게만 쭉 해온 이곳의 터줏대감과 같은 존재였다. 장사 수완도 남다르고 어머니와 달리 붙임성도 좋아 처음 2평 남짓으로 시작한 가게는 이제 스무 배도 넘게 커졌고, 콩나물 공장과 어묵 공장을 겸하여 운영하는 지금의 이모부를 만나 사실상 우리 시장의 최고 갑부 반열에 올랐다.

반면, 재물에는 도통 관심을 두지 않고 놀이 문화에만 집착하던 아버지는 팔도를 떠돌며, 두 집 살림 혹은 세 집 살림을 살다 보니, 물려받은 토지며 집이며 심지어 선산까지, 결국 곶감 빼 먹듯 다 날려 버렸다. 그러자 무뚝뚝하고 자존심 강한 어머니지만, 당장 끼니 걱정에, 별수 없이 동생 가게 귀퉁이를 빌려 장사를 할 수밖에 없었다.

착한 이모는 임대료 한 푼 받지 않고 가게 귀퉁이를 선뜻 잘라서
내주고는 필요한 선반이나 각종 물품을 제공하였다. 더욱이 장사에
는 젬병에 지나지 않는 어머니에게 여러 가지 노하우도 제공해 준
덕분에, 어머니는 비교적 수월하게 자리를 잡을 수 있었다. 간판도
하나 내 걸었는데, 형 이름을 따 <인수네 야채 상회>라고 지었다.

아무튼, 그 날. 더운 여름날. 제사가 있던 날. 어머니는 정수에게 가
게를 일찌감치 맡기고 오랜만에 내려온 막내 고모와 제사상 준비에
정신이 없었다. 사전에 쥐약 놓는 날이란 걸 알고 있던 정수는 온종
일 그의 개를 예의 주시하며 가게를 지키던 중 잠시 한눈판 사이에
개가 사라졌다. 정수는 급하게 뛰쳐나가 개를 찾았고 이내 정말로
10분도 안 되어 그의 개를 찾았다고 했다.

온통 짧고 하얀 털로 덮인 그 개는 정수를 향해 꼬리를 힘차게 흔
들며 주인을 맞이하고, 이내 가게 평상 밑에 마련된 그의 보금자리
로 들어갔다고 했다. 그리고 1분쯤 흘렀을까? 기묘하고 섬뜩한 신음
이 점점 강도를 더하더니 낮은 평상의 천장을 쿵쾅거리며 부딪히는
소리가 격렬하게 이어지는 거였다.

이 소리를 듣고 이모가 달려와, 그 광경을 보지 못하게, 정수의 손을 잡고 어머니에게 끌고 가고, 그사이에 이모부가 죽은 개를 양지바른 곳에 잘 묻었다고 했다. 하지만 그 장소가 어디인지는 아무에게도 알려 주지 않았다. 정수가 그렇게 사정사정했는데도 그저 먼 공동묘지라고만 하였다.

그리고 먼 훗날, 어머니와 이모가 대화하는 중에 나는 얼핏 알게 되었다. 이모부가 손수레에 죽은 개를 싣고 가던 중 마침 개장수를 만났다고 했다. 버릴 거면 달라고 해서 줬다고 한다. 그의 포대기에는 이미 죽은 개와 고양이 몇 마리가 담겨 있었고, 그의 아들로 보이는 녀석도 한 포대기 짊어지고 있었다는 거였다. 언제부터인가 쥐약 살포하는 날을 용케 알고 나타난다고 했다.

남킹 컬렉션 #017

스네이크 아일랜드

1권

죽고싶지만 복수는 하고 싶어

남킹 판타지 스릴러

남킹 컬렉션 #018

천일의 여황제

세빈의 남자

남킹 판타지 소설

중세의 사랑 1

프롤로그

사람이 없는 곳이라고 해서, 혹은 사람들에게 인기가 없는 곳이라고 해서, 그곳의 가치를 함부로 속단할 수는 없다. 과거의 화려한 영광이 서린 곳일 수도 있고, 숨을 멎게 만드는 비경이 모습을 감춘 채, 우연한 방문자를 놀라게 할 수도 있기 때문이다. 그런 의미에서 가파른 언덕 꼭대기를 온통 덮고 있는, 회색의 수도원이 중앙을 차지한 마을은, 나의 변덕스러운 차량 내비게이션이 우연히 안내해준 곳치고는, 꽤 호기심을 자극할 만한 풍경이었다.

트리에스테에서 보낸 사흘을 뒤로하고, 나는 이탈리아의 구불구불한 산길을 몇 시간째 달려 그나마 평지가 남아 있는 한적한 시골에 잠시 숨을 고르고 있다. 투명한 하늘 아래, 건물은 오래된 듯 낡지 않았고 지저분한 듯 정돈되어 있다.

우선, 방문객은 눈을 씻고 봐도 띄지 않았다. 좁은 골목은 막힌 듯 구부정하게 경사를 따라 오르락내리락하였고, 돌길이 끝난 자리에는 여지없이 포도밭이 펼쳐졌다. 밭은 언덕 전체를 휘어 감고 그 끝의 경계를 감히 재 볼 수 없을 정도로 이어졌다.

마을이란, 사람과 마찬가지로, 사람들이 걷는 모습을 보면 알 수 있다. 드물게 눈에 띈, 농부든, 수도사든 그들의 걸음걸이는 아주 느렸다. 마치 달 표면을 걷는 듯하다. 시간이 지나치게 느리게 가는 곳. 분명 내가 살던 곳과는 다르다.

나의 도시는, 비정형, 불규칙, 가속, 오락가락, 드러남에 대한 과도한 관심, 확 트인 길과 잡동사니가 쌓인 골목, 작은 혼돈들이 뭉쳐 거대하게 뒹구는 탐닉들이 혼재하여 뿜어져 나오는 도가니 같았다. 그런 곳에 태어나서 30년 넘게 나의 습관이 길들여졌다.

나는 새로운 공기를 들이마시며 익숙하지 않은 환경이 제공하는 불안감을 애써 떨쳐보려고 애썼다. 동시에, 뜻하지 않은 공간에서 맞이하는 생소함에 신선한 자극을 즐겼다. 인간은 언제나 새로움을 추구한다. 호기심은 보호본능 보다 더 충동적이다. 조금 전 무언가가 내 안에서 자극처럼 튀어나왔다. 나는 이곳을 좀 더 훑어보기로 작정했다. 그러려면 무엇보다 호텔을 찾아야 한다.

****

특이하게 두꺼운 슬레이트 지붕이 낮게 내려선 곳. 호텔을 표시하는 간판은 눈에 띄지 않게 작다. 반질거리는 조약돌을 쌓아 놓은 공터를 지나자 입구가 비로소 나타났다. 경쾌한 클라브생 음악이 알 수 없는 곳에서 흘러나온다. 안내대는 허름한 칸막이벽 하나로 구분되었다.

텅 빈 곳. 아무도 없다. 손님도 주인도. 마호가니 서랍장 만이 외로이 남아 있다. 벽지는 모서리마다 얼룩지고 부풀어있다. 벨벳 커튼이 묶인 채, 창을 암울하게 살짝 가렸다. 오랫동안 펼쳐지지 않은 윤곽이 고스란히 회색빛 먼지로 포장되었고 창틀 언저리에는 좀나방이 죽어있다. 그리고 창문 유리에 비친 나의 얼굴은 일그러져있다.

호젓하기 짝이 없는 이곳에서 언제나 인간은 혼자다. 나는 발길을 돌리려다 멈췄다. 다른 호텔을 근처에서 찾을 가능성이 없음을 본능적으로 느꼈기 때문이다. 그냥 기다리기로 했다.

****

여주인이 나타났을 때, 나는 <라이너 마리아 릴케>의 <말테의 수기>를 읽고 있었다. 한 달째 읽고 있다. 하지만 아직 절반도 못 읽었다. 나는 유난히 책 읽는 속도가 느리다. 이해가 되지 않는 문장이 나오면 무한 반복 테이프처럼 지칠 때까지 곱씹는다.

이 책은 참 고통스럽다. 마치 낱장 한 장 한 장이 한 권의 책처럼 느껴진다. 차라리 멍하니 그냥 기다리는 게 쉬울 거다. 아무튼, 한 장 반을 더 읽었다.

어느새 햇살이 붉다. 수수한 마실꾼 행색의 그녀는 아무 말 없이 내게 히드로멜리 한 잔을 따라 주었다. 그리고 내게 묻지도 않고 보드에 걸려 있는 방 열쇠 하나를 내어준다.

"301호에요. 깨면 연락해요. 아침을 준비할 테니." 이탈리아 억양이 심하게 섞인 영어를 겨우 알아들었다.
"실례지만 방값은?" 나는 눈을 끔벅거렸다.
"알아서 줘요. 당신이 유일한 손님이니까." 주인은 넌지시 해쭉 웃으며 나가버렸다. 나는 술잔을 들이켰다. 시큼한 향이 목을 막으며 퍼졌다.

남킹 컬렉션 #019

이방인

남킹 장편소설

거리를
비워두세요
남킹 음악에세이

남킹 컬렉션 #020

중세의 사랑 2

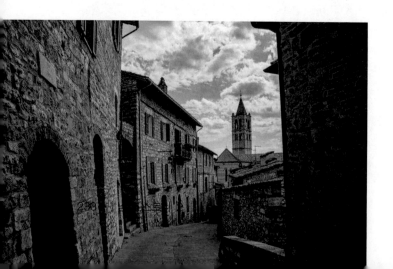

시골의 아침은 옅은 안개로 시작하였다. 그리고 시간이 갈수록, 햇살은 좀 더 선명하고 투명해졌다. 장막이 걷힌 무대는, 어제는 미처 깨닫지 못한 다른 사물과 공간, 배경을 남겼다. 낯섦 속으로 나는 발걸음을 뗐다.

세상은 믿을 수 없을 정도로 밋밋한, 유럽의 전형적인 시골 마을을 표현했다. 낡은 카페와 허름한 빵집. 푸른 사이프러스 나무가 빙 둘러쓴 성당. 아담한 광장. 그곳에 어울리는 조그마한 분수대. 구불구불한 좁은 돌길과 계단. 바싹 마르고 구부정한 허리를 하고 걷는, 머리가 하얗게 센 할머니. 들뜬 새소리. 느긋한 자동차 소리. 마치 실재하는 갈등을 모두 흡수한 판타지 세상 속으로 들어온 기분이 들었다.

모든 현실의 일들은 아무 의미도 없고, 나의 과거가 외롭고 비런 하거나 혹은 절망적일지라도, 이곳에 발을 딛는 순간, 초기화라도 한 듯 텅 빈 반향을 불러일으켰다. 그래서 나는 아무 거치적거릴 것 없는 투명한 물속을 부유하는 듯 가벼워졌다.

생각해보니 집을 떠난 지 3주쯤 되었다. 특별한 줄거리도 없이 북부 이탈리아를 쉴 새 없이 헤매고 있다. 얼마나 많은 마을과 광장, 묘지, 다리 그리고 길을 돌아다녔는지, 아는 것은 나의 휴대폰 내비게 이션에 저장된 히스토리 뿐이다.

목적을 두지 않은 여행은, 우연이 뱉어낸 즉흥적인 감정의 쏠림에 따라, 햇살이 가늘어지거나 문득 어디서 본 듯한 친숙함이 들거나 혹은 판단이 작용하지 않는 멍한 상태에서도 주저 없이 머물곤 하였 다. 하지만 어찌 보면 이런 사치도 이제 끝을 내딛고 있다.

돈이 얼마 남지 않았다. 앞으로 일주일 정도면 바닥이 날 것이다. 그 러면 다시 살던 곳으로 돌아가야 한다. 수많은 벽과 가로등, 광고판 과 자동차, 사람 그리고 짙은 색으로 천천히 흘러가는 강을 품은 도 시로 말이다. 직장도 다시 구해야 한다. 톱니바퀴 속으로 나를 맞추 어야 한다. 알람 소리에 깨고 지짐거리는 눈으로 전동차에 탄 사람 들 속으로 들어가야 만 할 것이다.

다시 결승선이 얼마 남았는지를 헤아리며 달려야 할지도 모르겠다. 그러한 의욕이 부침하는 과정에서 손쉽게 늙어 갈 것이다. 결코, 발 버둥 쳐도 헐어버릴 수는 없을 거다.

이런 생각에 약간 겁이 났지만, 나의 발걸음은, 부정적인 사고에는 아랑곳하지 않은 채, 본능대로 거리를 지나, 점점 좁고 가팔라지는 계단 길을 오르고 있다. 어느새 이마에 땀방울이 맺히고 등이 축축하다. 눈에도 짠 물이 맺혔다.

아주 가끔 눈에 띄는 주민들과 눈인사가 이어졌다. 표정은 심통 하지만 미소가 배어있다. 도시의 판매상에게서 느끼는 서글픈 억지 미소는 아니다. 여유로움과 느긋함이 직조한, 살아 있는 것을 위한 스웨터 같은 거다.

****

발바닥의 통증이 참을 수 없을 정도가 되었을 때쯤, 나는 낡고 좁은 유리문이 여러 개 성기게 박힌 문 앞에 멈췄다. 맥이 다 빠진 듯 몸이 휘청거렸다. 문은 활짝 열려있다. 결코, 닫혀 본 적이 없는 것처럼. 땀이 들어간 눈이 시렸다. 로마네스크식 성당의 둥근 천장이나 입구를 이루는 아치처럼 익숙한 모습이 보였다.

나는 천천히 바닥에 앉아 더워진 몸을 식히며 이곳을 감상했다. 지금껏 마주한 유럽의 신전이나 사원 대부분은 어둡고 썰렁하였다. 그리고 전례 음악은 엄숙하고 비장하였다. 사제는 순교자들의 수난을 기리기 위하여 검은 옷을 입었다. 이곳도 마찬가지였다.

어느 모로 보나 지극히 종교적인 마음가짐으로 들어서게 만드는 숙연함이 느껴졌다. 가벼운 차림의 여행객이라도 선뜻 눈치챌 수 있을 정도로. 약간 떨어진 곳에 한 무리의 수도사가 발소리를 잊은 채 지나갔다. 정적이 한결 더 깊어졌다. 조금 안쪽에 짙은 색의 우단이 덮인 기도대 같은 게 보였다. 햇살이 살짝 비켜 머물렀다. 그리고 덧보태지 않은 단순한 장식들이, 어둠에 익숙하게 된 눈에 들어오기 시작했다. 시간이 순식간에 중세 시대로 돌아갔다.

사실, 멀리서 쳐다본 수도원은, 기하학적인 모양의 화강암이 제멋대로 솟은 암산에 덧댄 조형물처럼 거북살스러웠다. 하지만 눈앞에 맞이한 내부는, 서늘하고 신비한 공기가 속을 채운, 정돈된 차분함을 나타내는 묘한 끌림을 선사했다. 나는 호기심을 억누르며 천천히 속으로 들어갔다.

크고 둥근 홀이 나타났다. 홀을 중심으로 열주가 좌우로 뻗어있다. 어느 곳을 보던 똑같은 모습이지만, 한 걸음만 더 열주에 가까이 가

면 장식된 문양이 제각각임을 알 수 있다. 그리고 열주 양쪽에는 측
랑이 붙어 있다. 열주가 끝난 곳에는 작지만 둥근 홀처럼 생긴 익랑
이 나타났다. 나는 익랑의 중심에 서서 천천히 사방을 둘러봤다.

가장 환하고 눈에 띄는 성가대와 제단은 유럽 어디를 가던 볼 수
있는 특색 없는 모습이었지만, 가로보다 세로가 지나치게 긴 십자가
와 지극히 단순한 모습의 예수상은, 종교에 심드렁한 방문자의 시선
을 사로잡을 만했다. 바라보는 것만으로도 푸근했다. 신이라는 관념
말이다. 이 관념은 어느 날 생겨난 뒤로 끊임없이 진화하고 전파되
어 왔으며, 복음과 경전, 음악과 미술 등을 통해서 중계되고 확대됐
다. 또, 이 관념은 사제들을 통하여 재생산됐고 사제들이 살아가는
공간과 시간에 맞도록 재해석되어 왔다.

밝은 빛을 따라 나온 곳은, 딱딱한 바닥 돌이 엉성하게 박힌 열린
공간이었다. 몇 군데 뜰을 지나자 광장으로 보기에는 작았고, 뒷마당
으로 보기에는 다소 넓은 곳이 나왔다. 나는 잠시 머뭇거렸다. 어디
로 발길을 돌려야 할지 막막했다. 이제 익숙할 때도 되었건만, 여전
히 <무엇을 할지 결정하지 못함>은 거북하였다.

정면과 양옆으로 비슷한 모양과 크기의 건물이 나의 선택을 기다리고 있다. 굳이 차이를 두자면, 육중하고 낡은, 각각의 외짝으로 된 문에는 다른 색의 배경에 다른 모습의 성인이 그려져 있다는 것이다. 좌측은, 푸른색 하늘에 갈색 수도 복장의 성인이 눈동자와 손가락을 하늘로 향하고 있었다. 정면은, 짙은 노란색으로 물든 대지를 화려한 복장의 성인이 지긋한 눈으로 바라보고 있으며, 우측은 붉은색의 태양을 등진 채, 두 팔을 양옆으로 쭉 편, 흰색 복장의 성인이 정면을 응시하고 있었다. 등장인물이 모두 성인이라고 생각한 이유는 둥근 후광이 모두 그려져 있었기 때문이었다.

나는 광장 중앙에 마련된 돌의자에 앉아, 신발을 벗고, 가련한 나의 발에 휴식을 잠시 부여했다. 후눅한 바람에 고린내가 살살 올라왔다. 축축하게 젖어 살에 찰싹 달라붙은 셔츠에서도 땀에 찌든 냄새가 났다. 조금 기진맥진한 기분이 들었다. 나는 잠시, 지극히 청아한 하늘을 쳐다봤다. 무엇과도 견주기 어려울 만큼 순수했다. 어디선가 눈을 찌르는 듯한 그을음 냄새가 훅하고 들어왔다.

나는 바닥의 돌을 유심히 쳐다봤다. 산에서 경험한 것을 응용하기로 생각했다. 길은 사람이나 동물이 가장 많이 다닌 곳으로 나기 마련이다. 딱딱한 돌이지만 좀 더 닳아서 윤기가 나는 곳을 살펴봤다. 정면이었다. 나는 성큼성큼 걸어갔다.

그리고 문에 난 쇠로 된 손잡이를 잡고 힘있게 밀었다.

사랑 그 쓸쓸함
에 대하여

남 킹 음 악 산 문

남킹 컬렉션 #021

남킹의 문장 I
브런치 스토리

남 킹

남킹 컬렉션 #022

중세의 사랑 3

미자와의 조우

공간은 넓었다. 그리고 갈색 조명 아래 무수하게 많은 책이 꽂혀있었다. 오래된 냄새가 났다. 흩날린 적이 없는, 무겁고도 탁하며 지식을 내포한 공기가 폭넓게 깔려있었다. 나는 그 육중한 무게에 잠시 혼란스러웠다. 내부에 깃든 어지러움이 만져졌다. 순간 달음박질치고 싶다고도 느꼈다. 하지만 잿빛의 긴장된 얼굴을 한 수도사와 눈이 마주쳤을 때, 그만 모든 충동이 분해되어 버렸다.

그는 푹 파인 관자놀이 위로 편안한 미소를 띠며 낯선 방문자를 끌어당겼다. 나는 무겁고 맥없는 표정으로, 산만한 미소를 남발하며, 일정한 간격으로 테이블을 점령한 수도사들 곁을 조용히 지나갔다. 창문은 널찍한 격벽으로 되어 일정한 간격으로 열려있었다. 자연 채광이 질서정연하게 보였다. 모든 것은 아주 오래전부터 이렇게 갖추어져 있는 게 마치 당연하다는 듯이 보였다. 에테르 냄새가 났다.

같은 공간의 두 번째 실에 들어서자 일반인이 눈에 띄었다. 얼룩덜룩하였다. 마치 흑백 화면이 컬러로 바뀐 느낌이다. 다양한 모습의 인간이 산만하게 흩어져 있다. 하지만 하나같이 모두 진지한 표정이었다. 그들의 얼굴은 아무런 표정도 없이 텅 비어 있고, 아무런 감정도 간직하고 있지 않았다.

어찌 보면 덧정이 뚝 떨어지는 광경이지만, 그런 모습이 묘하게 안정감을 심어준다. 양 벽에는 유화가 일정한 간격으로 붙어 있다. 그 속에 슬픔을 담은 성녀가 눈에 띄었다. 보라색 실루엣이 거친 질료와 어우러져, 기묘한 그림자로 여인의 봉긋한 가슴을 가렸다. 모든 것은 규칙적이었다. 희미하게 비추는 램프는 일정한 간격의 책상에 중앙을 차지하고 달빛처럼 고아하다.

나는 몽롱한 자태로 앉아 있는 여인을 발견했다. 그녀는 모서리가 잔뜩 닳은 고서를 뚫어지게 쳐다보고 있었다. 친숙한 얼굴이었다. 어쩌면 한국인, 멀어도 중국인 정도로 보였다. 흐리멍덩하게 슬픈 듯한 옆 모습. 단색의 옅은 머플러가 옷깃 주위에 헐렁하게 감겨 있었다. 그리고 그녀는 한쪽 발을 들들 거리고 있었다.

나는 무슨 끌림처럼 그녀 맞은 편에 앉았다. 해면처럼 부드러운 먼지가 부유했다. 그녀의 이마가 조명에 반짝였다. 뜨뜻하고 푸르뎅뎅한 여드름이 잔뜩 붙었다. 타닥거리는 옅은 소리가 멀리서 들려왔다. 나는 마치 오래전부터 얽히고설킨 사이처럼 묘한 시선으로 그녀를 주시했다. 몰아의 표정. 아무런 변화가 없는 얼굴은 마치 정지한 시간처럼 느껴졌다.

이윽고, 그녀의 머리 위쪽 여닫이 창문 틈으로 번지르르하게 빗은 붉은 햇살이 넘어왔다.

마침내 그녀가 눈을 들었다. 잠시 나를 쳐다봤다. 나는 그녀에게 영어로 쓴 쪽지를 건넸다. 어디서 그런 용기가 났는지는 모르겠다.

"Are you korean?" 그러자 한글로 된 답장이 돌아왔다.
"국적, 태생, 혈통에 따라 다 달라요."
"그럼 혈통이겠군요?" 나는 나직이 그녀에게 다가서며 물었다.
"네. 그렇죠. 참고로 미국 태생에 프랑스 국적이죠. 그쪽은요?" 여자가 속삭였다.
"모두 한국입니다."
"적어도 헷갈리지는 않겠네요. 혹시 데이트 신청할 생각이라면 하세요. 참고로, 입맛은 이탈리아입니다."

길에 내리는
빗물

남 킹 소 설 집

남킹 컬렉션 #024

중세의 사랑 4

섹스는 대화보다 낫다. 대화는 섹스하기 위해 참아내야 하는 고통이다. – 우디 앨런

'아 오늘이 그 날이었어?' 언제나 꼼꼼하게 수첩이든 휴대전화든 닥치는 대로 적어 재끼고, 틈만 나면 읽어 재끼는 그녀에게 절대 있을 수 없는 변명거리다.

'아 미안, 정말 미안, 도로에 차들이 꽉 찬 거 있지.' 이 대목에서 픽 웃음이 나온다. 이곳에서 단 한 시간을 보낸 여행객이라도 이 변명이 정말이지 말도 안 된다는 것을 금방 알 수 있다. 여긴 도대체 도로를 마련한 시 당국이 창피하게도 차들이 없다. 관광지도 아니고 공장도 없고 도시로 가는 길목도 아니고 무수하게 펼쳐진 목초지와 온갖 종류의 밭 그리고 그 한가운데 광장과 코딱지만 한 시청, 잡화점, 카페 두 개만 있을 뿐이다. 그나마 이 정도라도 갖추어 진 게 다행이다.

그나마 방문객이 있다면, 틀림없이 둘 중의 하나일 것이다. 기독교 신앙심이 매우 돈독한 순례자가, 이곳에서 2km 떨어진 매우 가파르고 거친 암벽 사이에 우뚝 솟은 수도원을 찾는 것과 길 잃은 방랑객이 우연히 도착하는 것.

사실 미자는 전자에 나는 후자에 해당하겠다. 하지만 엄밀히 말하면 방문의 목적은 약간 다르다. 그녀는 가톨릭 집안에 입양되어 유아세례를 받고 무수하게 많은 미사와 성경 공부를 한 것은 틀림없지만, 성인이 되자마자 종교의 구속에서 벗어나 버렸다. 그녀가 이곳 수도원을 찾게 된 이유는 단 하나. 책에 대한 갈망 때문이었다.

나의 방문은 한마디로 혼란과 탐색이다. 멍청한 내비게이션에 맹목적으로 순종하는 길치와 다름없는 나는, 지금 생각하면 무모하기 짝이 없는 이탈리아 오지 탐험을 충동적으로 시작하고 말았다. 물론 즉흥적이지만, 나의 실행을 이끈 배경이 전혀 없는 것은 아니다. 나는 외로웠다.

나는 시간이 지날수록, 나이가 들수록, 점점 세상에 적응하게 되리라고 막연하게 추측했다. 하지만 실상은 정반대로 흘러갔다. 나는 직장 상사, 가족, 친구 혹은 정부의 잔소리가 점점 듣기 싫어졌다. 어떨 때는 참을 수가 없을 정도이다. 나를 표현하는 형식이라고 여겼던 것들이 나를 옥죄는 사슬로 바뀌었다.

미자의 얼굴은 모가 난 듯 투박스럽다. 그리고 쉼 없이 흔든다. 그녀가 내 집에 처음 온 건, 비 내리는 이른 아침이었다. 기다란 깔 때 모자와 붉은색이 감도는 슈미트 가방, 은색 캐리어를 끌고 왔다. 발을 녹색 발판에 문질러 구두에 묻은 흙을 털고는 성큼성큼 들어왔다.

가까운 성당에서 들려오는 종소리에 부스스 잠을 깬 나는 환영 속으로 마지못해 문을 열어 둔 듯한 느낌을 받았다. 그녀는 들어오자마자 마치 자기 집인 양, 트렌치코트를 훌쩍 벗어 침대로 던졌다. 그리고는 다른 가방을 벌컥 열더니, 방 한가운데를 가로질러 줄을 걸치고는, 비에 젖어 책장이 말린 책들을 조심스레 꺼내어 줄에 나란히 걸기 시작했다.

"도와줄까?" 그녀는 말없이 고개를 저었다. 좁은 공간이 책들로 이내 비좁았다.

책 널기가 끝나자, 그녀는 소형 냉장고를 벌컥 열고는 맥주 캔을 따서 꿀떡꿀떡 삼켰다. 내가 아끼던 마지막 술이다.

"야, 안주 없냐?" 냉장고 문을 닫으며 그녀가 물었다. 안주가 있을 리가 없다. 나는 석 달째 놀고 있다. 처음 회사에서 잘렸을 때는 매우 두려웠다. 갑자기 아무 할 일이 없게 되자 '절망적이야'. 하는 초조한 마음으로 세상을 바라봤다. 하지만 일주일쯤 지나자 약간 견딜 만했다. 한 달쯤 지나니 편해졌다. 두 달쯤 되니 아주 편해졌다.

마치 감옥을 탈옥한 죄수가 된 기분이다. 미래는 두렵지만, 현재는 달콤하다. 물론 저축한 돈은 이제 거의 바닥을 드러냈다. 아무리 좋게 잡아도, 앞으로 3주쯤 지나면 거리에서 구걸할 판이다. 그런데 그다지 걱정이 되지 않는다. '나는 진정한 자유를 찾은 걸까?' 어쩌면 사르트르 말대로, 자유롭도록 저주받은 것인지도 모르겠다.

그녀는, 짐을 풀지도 않은 채, 노트북 폴더를 열고 음악 사이트에 접속하여 자신의 <플레이 리스트>를 틀었다. <프로그레시브 테크노> 음악이 삽시간에 코딱지만 한 공간에 가득하다. 그녀는 박자에 맞추어 고개를 끄덕거리기 시작했다. 그리고 키보드를 신나게 두드렸다.

"마감이 얼마 안 남았어." 그녀는 블로그에 집착한다. 스스로 정한 시간까지 업데이트하여야 한다는 강박을 가졌다. 그녀는 <중세 역사와 문학, 철학>에 대한 연구에 몸이 달아 있다. 게다가 그녀는 황감하게도 적잖은 돈을 지니고 다녔다.

"순전히 운이지. 무척 돈이 많은 양부모를 만났거든. 게다가 무척
후하시기도 하셨고."

서글픈
나의 사랑

남 킹 장편소설

남킹 컬렉션 #025

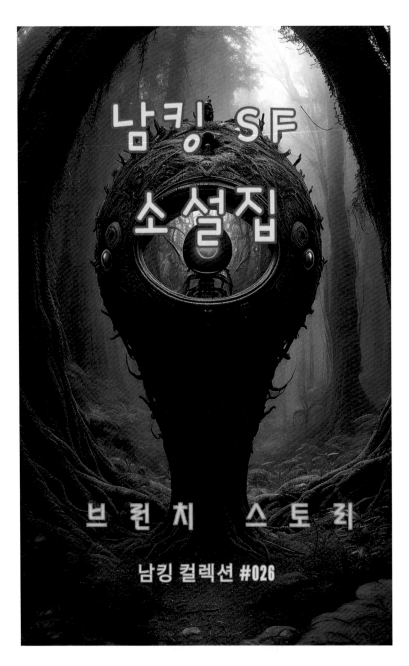

남킹 SF
소설집

브런치 스토리

남킹 컬렉션 #026

중세의 사랑 5

그녀의 노트북 배경화면에는, 그녀가 이탈리아에 온 첫날의 모습이 담겨있다. 화려하고 복잡한 로코코 양식 위에 걸터앉아 무진장하게 넓고 잘 정돈된 정원을 배경으로 소녀는 무척 밝게 웃고 있었다.

"비로소 내가 원하는 게 무엇인지를 찾은 날이지." 그녀는 눈썹을 치켜세우며 자신 있게 그날을 설명해주었다.

"그냥 그렇게 느꼈어. 어느 날, 마치 내 주위에 있는 어른들에 의하여 억지로 떠먹여 지듯 양육되는 듯한 느낌이 들었거든. 꼭 쬐는 제복처럼 말이야."
"그래서?" 나는 그녀의 가슴에 바짝 달라붙었다.
"뭐가 그래서? 그래서 그냥 나왔지. 아, 물론 무작정 나온 거는 아니고. 적어도 인사는 하고 나왔지."
"자의식 과잉으로 항상 머릿속이 복잡하기도 했고."
"그래서?"
"그래서 지극히 단순한 곳을 찾았지. 바로 여기."
"그러고 보니 벌써 삼 년이 훌쩍 넘었네." 그녀의 날숨은 달짝지근했다.

"난 애인 같은 여자가 되고 싶었어. 위대한 연애 사건을 꾸미고 실천해보는 거지. 근데 세상은 자꾸 선생님같이 되라고 하는 거야."

진한 키스가 오고 간 뒤 그녀는 찰랑한 눈망울로, 낮은 천장을 쳐다봤다.

"선생님?"

"응, 뭐 그런 거 있잖아. 훌륭한 예술가나 교육자나 의사 같은 거 말이야…"

"그래서?"

"그래서 여기 이렇게 혼자 있잖아. 이탈리아에서. 아무것도 아닌 채." 여자는 콧등에 난 피지를 뾰로통하게 쳐다본다.

"그래서 위대한 연애 사건은 해본 거야?" 여자는 가방에서 담배를 꺼내 물면서 천천히 읊조린다.

"아니. 멍청한 놈들만 자꾸 걸려. 너처럼." 나는 미자의 젖꼭지를 감싸며 크게 웃었다.

"내가 자꾸 멍청이라 해서 미안한데, 넌 사실 멍청하지는 않아. 적어도 나의 기준에서는 말이야."

"그 기준이 뭔데?"

"넌 지극히 세속적이잖아."

"오, 그래? 멍청이의 반대가 세속적이라는 거야? 그럼 속세를 등진 구도자나 수도사들은 다들 멍청이겠네?"

"멍청이의 어원인 <스투피두스(stupidus)>는 모든 것에 놀라고 경이로움을 느끼는 자들이거든."

"너는 정 반대잖아. 너무 닳고 닳아서 이젠 어떤 것에도 무감각하잖아. 그러니 멍청이는 아니라는 거야. 이 멍청아."

그녀는 자기 생각을 항상 조곤조곤 들려준다. 그리고 주제는 다양하기 그지없다. 그녀는 직관적이고 결론적이며 편협하며 대범하다. 그리고 비난을 서슴지 않는다. 마치 말을 하기 위해 태어난 사람 같았다. 섹스가 끝나면 우리는 나란히 천장을 바라보며 밤새도록 소곤거렸다.

"스티븐 스필버그가 한 가장 훌륭한 일은?" 그녀는 사뭇 진지한 어조로 묻는다.

"???"

"외계인을 친구로 만들어 버렸지."

"하하하. 그럼, 그가 한 가장 나쁜 짓은 고고학자를 절도범으로 만든 거겠지?"

"왜 대부를 좋아하는데?"

"복잡하잖아. 주인공이 맞닥뜨린 상황도 갈수록 위태로워지지!"

"애개개, 겨우 그런 이유로 좋아한단 말이야?"

"사람들이 행복하다고 느끼는 세계는 수많은 시련으로 가득한 곳이거든. 이 바보야."

"한마디로 세상은 패배자의 논리로 가득하지. 미래를 그려낸 영화를 봐봐. 기계가 지배하거나 핵폭탄으로 모든 게 폐허가 되지. 여자는 아기를 낳지 못하고 원숭이가 인간을 대신하지."

"내가 어떻게 불행해지지 않을 수 있겠어?"
"세상을 봐. 불행으로 가득 차 있는 듯 떠들고 다니지."
"파리에 폭탄이 터지고 뉴욕에 빌딩이 무너지고 배가 가라앉고 건물이 불에 타고."
"나쁜 놈이 갑질하고 사기꾼이 정치하고."
"매일 우리의 자랑스러운 아나운서가 불행을 전달하지. 아주 열심히. 최선을 다해서."

"세상을 봐봐. 우린 성공하거나 잘 된 사람들에 관해서만 신나게 떠들어대고 있잖아. 하지만 정작 필요한 건 실패한 것에 대해서 널리 알려야 한다는 거야. 그래야 같은 실패를 반복하고 있는 무수한 사람들을 구제할 수 있잖아."

"경박하고 공허한 게 삶이야. 그러니 적어도 너는 살고는 있다는 거지."

어떤 날은 가보트 음악을 틀어 놓고 나를 강압적으로 초대하여 무작정 춤을 춘 적도 있다.

새틴 드레스를 입은 그녀는 우아한 모습으로 살짝 미소 짓고 있었다.

"아무 말도 하지 않고 아무 행위도 하지 않고 그저 너와 같이 이렇게 나란히 서 있는 것만으로 행복할 때가 있어. 어쩌면 그게 섹스보다 훨씬 나아. 아무것도 하지 않아도 된다는 해방 속에 네가 보이거든. 그래서 지금 행복해. 너도 그렇지?"

"그래도 난 섹스가 더 좋은데…." 나는 기어가는 소리를 냈다.

"그래서 내가 하는 말이야. 모든 것은 사랑이라고 선지자가 말씀하셨다? 바보같이."

"왜?"

"어리석기 짝이 없어. 모든 것은 육체적 사랑이라고 말했어야지. 그랬으면 사람들이 훨씬 행복했을 텐데."

"세상의 인간들을 봐봐! 철천지원수처럼 싸우고도 일주일 후면 여관방에서 키득키득하며 뒹굴고 있잖아."

우리의 시간은 대부분, 대화와 섹스, 글쓰기, 책 읽기 그리고 약간의
영화 보기와 산책으로 이어졌다. 미자는 마치 진실인 양 감정이입을
잘 하였다. 무심한 얼굴에 내가 자극을 가하면 금방 깨어났다.
"정말? 와 소름 끼친다!" 이럴 때면 짙은 눈썹이 더욱 올라갔다.

"그래서?" 나의 말을 날름 가로채며 코가 닿을 듯 바싹 다가선다.

"이런 횡령꾼 아니 사기꾼 아니 협잡꾼 같으니라고!"
"이런! 재수 옴 붙은 날이네."
"아무튼, 축하해. 너의 그 위대한 도그마는 언젠가 빛을 볼 거야."
"나를 비꼬는 듯한 느낌이 드는데?"
"하하하. 신성한 무지 또한 지극히 인간적인 것이니까."

이별, 그 후

지식인이란 섹스보다 재밌는 '다른 하나'를 발견한 사람이다. - 올더
스 헉슬리

미자는 느닷없이 나타난 것처럼 느닷없이 사라졌다. 지독한 더위와
가뭄이 작은 동네를 달구던 시기였다. 그녀가 내게 머문 지 3개월이

되었다. 텅 빈 방에, 그녀는, 쓰던 물건을 고스란히 남겼다. 책만 온전히 사라졌다. 그녀는 편지도 남겼다.

깨알같이 쓴, 그녀의 마지막 인사를 기대하였으나, 봉투 속에는 돈만 들어 있었다. 나는 그 돈으로 2주일을 더 버티다가 결국, 집으로 돌아왔다. 그리고 비자 만료 직전에 독일을 떠나 한국으로 돌아갔다.

그리고 아주 아주 많은 시간이 흘렀다. 그동안 나는 직장을 다니고 결혼을 하고 애를 낳아 가정을 이루었고 아파트를 샀다. 그리고 늙었다.

내가 미자를 다시 만난 건, 대형 서점 신간 코너에서였다. <중세의 사랑> <오델리 송 저자> 첫 장을 넘기자, 그녀는 투박한 미소를 짓고 있었다. 한동안 그녀를 쳐다봤다. 내 기억 속에 사라졌던 그녀가 복원되기 시작했다. 그녀의 책은 지나치게 두껍고 활자도 작았다. 나는 두툼한 돋보기안경을 걸치고 <3장. 이탈리아> 편부터 읽기 시작했다. 한동안 그렇게 있었다.

버스 민폐녀

남킹 슬픈 이야기

남킹 컬렉션 #027

브런치 스토리

남킹 사랑 소설집

남킹 컬렉션 #028

당신의 뜻대로 1

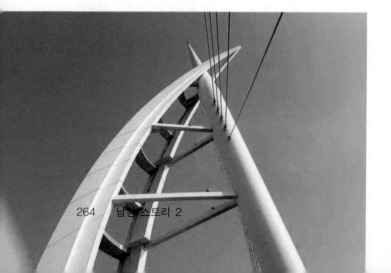

프롤로그

중학 시절, 나는 미국의 포크록 듀오인, <사이먼과 가펑클>이 부른 <철새는 날아가고> (El Condor Pasa)에 푹 빠져 있었다. 내가 어디서 처음 이 노래를 접하였는지는 알 길이 없다. 아마도 워낙 유명한 곡이다 보니 - 물론 이것도 나중에 안 사실이지만, 더욱이 이 곡이 페루의 민요라는 사실은 더욱 나중에 안 사실이지만 - 길에서나 버스에서나 혹은 집에서 나도 모르게 반복적으로 듣게 되었으리라. 아무튼, 그날, 따스한 봄 햇살이 충만했던 나른한 오후, 나는 학교 수업을 마치고 친구들과 버스를 타고 집으로 가고 있었다. 버스에서 나는, 이 감미롭고 아름답기 그지없는 노래를 라디오 방송으로 무심결에 들으며, 너무나 친숙하다는 사실에 깜짝 놀라고 말았다. 나는 친구들과 잡담도 멈춘 채, 차창 밖으로 빠르게 스쳐 지나가는 도시의 풍경도 외면한 채, 음악 속으로 빨려 들어가고 말았다. 음악이 끝났을 즈음, 나는 이 노래의 제목을 잊지 않기 위하여, 가방에서 급히 교과서 하나를 꺼낸 뒤 겉표지에다가 연필로 적기 시작했다.

철. 새. 는. 날. 아. 가. 고.

이 순간이 바로 자신의 순수한 의지로 음악을 들으려고 하였던 첫 번째 사건이었다. 하지만 이 노래를 다시 듣게 되기까지 나는 일주일을 꼬박 보내야만 했다. 왜냐하면, 그 시절에는 인터넷이 존재하지 않았기 때문이다. 심지어 PC라는 개념조차 흐릿하였던 시기였다. 하물며 스마트폰이야 말할 필요도 없으리라. 지금처럼, 듣고자 하는 음악을 간단하게 검색하여 내려받거나 스트리밍 방식으로 편리하게 언제 어디서나 들을 수 있는 세상이 아니었다. 그리고 CD나 하드디스크 같은, 소위 디지털 음원 저장 장치가 세상에 알려지지 않은 시절로, 혹자는 그때를 아날로그 시대라고 불렀다.

그러한 시절에, 내가 좋아하는 음악을 공연장 방문 없이 들으려면, 까만 플라스틱 원형 판 같은 LP 음반 혹은 얇은 담뱃갑처럼 생긴 카세트테이프를 사거나 음악감상실 혹은 라디오 방송을 진행하는 DJ에게 요청하는 방법뿐이었다. 하지만 레코드판을 구매하더라도 전축이라고 불리던 값비싼 오디오 시스템이 필요했고, 카세트테이프도 플레이어가 요구되었다. 가난했던 우리 집에 있을 리가 없다. 그리고 음악감상실은 나이 제한으로 출입할 수 없었다. 설령 가능했다고 하더라도 입장료나 혹은 찻값을 감당할 순 없었다. 결국, 남은 선택은 라디오 방송국에 엽서를 보내는 것뿐이었다. 하지만 이 또한 DJ가

나를 선택해야만 가능한 일이다. 수많은 엽서 중에 내 것이 뽑혀야만 한다는 말이다. 그러므로 사연이 중요했다. 방송국 관계자들을 혹하게 만들어야만 했다.

그래서 나는 상상으로 내 첫사랑을 애써 만들어냈다. 사랑하지만 어쩔 수 없이 떠나보내야만 했던, 가슴 졸이고 애절한 사연을, 늦은 밤까지 끙끙거리며 지어낸 것이다. 그리고 나는 색연필을 바꾸어 가며, 엽서에 정성스럽게 나의 슬프고 기구한 사랑을 그려 나갔다. 그렇게 적다 보니 나의 연인에게도 이름이 필요하다는 사실을 뒤늦게 깨달았다. 나는 한동안 고민하다 책꽂이에서 두툼한 소설책 한 권을 발견했다. <톨스토이>의 <안나 카레니나>. 누나가 밤새워 읽었다면서, 벌건 눈으로 내게 선물한 책이다. 하지만 나는 채 10페이지도 읽지 못하고 책꽂이에 내버려 두고 말았다. 사실 그때까지, 내가 끝까지 읽은 소설은 <헤밍웨이>의 <노인과 바다>뿐이었다. 그것도 얇막해서 가능했다. 아무튼, 나는 그 소설의 제목을 따서 안나라고 지었다. 그리고 엽서 끝에 다음과 같은 글귀로 마무리를 했다. '떠나간 안나를 그리워하며…. 그녀의 애창곡을 신청합니다. 철새는 날아가고'

1.

"아빠……. 이제……. 음……. 발레를 그만둘까 해요"

안나가 처음 이 얘기를 내게 했을 때, 나는 놀라지 않았다. 어쩌면 나는 이 결과를 미리 짐작하고 있었는지도 모르겠다. 차분히 그리고 지속해서 나는, 내 아이가 변해가는 모습에서, 주위의 시선과 떠도는 말들에서, 아내의 걱정 섞인 표정에서, 본능적으로 이미 모든 걸 감지해내었으리라.

안나는 내 아버지의 외모를 쏙 빼닮았다. 젊은 시절, 씨름 선수로 명성이 자자했던 아버지의 큰 골격과 뼈대를 고스란히 물려받은 것이다. 그녀는 나날이 쑥쑥 자랐고 살집도 늘어났다. 초등학교 3학년 때부터 3년간, 줄곧 공연 파트너를 하였던 남자애보다 더 크고 더 살이 쪄 버린 것이다. 남자 파트너가 이젠 내 딸을 더는 들 수 없다고 했다. 그러자 아내에게서 절식령이 떨어졌다. 안나는 이제 측은하게도 모든 간식이 금지되었고, 밥양도 절반으로 싹둑 잘려나갔다. 그리고 아이는 이 모든 현실을 받아들인 듯 보였다. 그녀는 하루 대부분을 허기 속에 사는 듯했다. 동시에 짜증도 늘어났다. 모녀간의 다툼도 잦아졌다. 나도 집안에서 뭔가를 먹을 때마다, 그녀들의 눈치를 보기 시작했다. 그러자 자연히 직장 동료들과의 외식이 늘어났다. 주말에도 일 핑계로 종종 바깥에서 떠돌았다. 퇴근 후, 가족을 생각하며 빵을 사 오던 기쁨도 사라졌다. 사라진 기쁨만큼의 안타까움이 채워졌다.

2.

"우리 안나는 완전히 무대 체질인가 봐요, 아버님! 호호호……." 공연이 끝나자 발레 선생님이 쪼르륵 내게 달려와서 하는 말이었다. "연습 때는 시큰둥한 게 잘 따라 하지도 않더니만, 돗자리 깔아놓으

니 가장 신나게 앞장서서 잘하네요, 아버님! 호호호….” 그녀의 다분
히 선심성이 베인 칭찬이었지만, 아무튼 기분은 나쁘지 않았다. 사실
내 딸이 아니라고 쳐도 내 아이가 가장 돋보였다. 딸의 생애 첫 무
대 임에도 공포를 전혀 느끼지 않는 활달한 모습이 정말 신기하기만
하였다.

“어머님 앞으로 잘 키우셔야겠어요…. 떡잎이 보이는데요……. 호호
호….” 선생님은 아내에게도 잊지 않고 칭찬을 늘어놓았다. 아내의
입이 귀에 걸렸다.

“여보 내가 뭐랬어? 우리 안나는 춤꾼 기질이 있다니까……. 날 닮
아서….” 집으로 돌아오는 길에 아내가 나의 옆구리를 쿡 치면서 하
는 말이었다.

사실 나는 우리 아이에게, 가까운 아파트 상가에 있는 태권도나 수
영을 배울 것을 고집했었다. 발레를 배우려면, 시내에 있는 백화점
문화센터로 가야 했는데, 번거롭기도 하거니와 이제 겨우 다섯 살인
애가, 일주일에 2번 하는 거로 뭘 배울까 하는 의구심이 더 컸었다.
아무튼, 그날 이후, 아내는 신바람 나게 안나를 문화센터에 실어 날
랐고, 나는 만만치 않은 가격대의 고급 비디오카메라를 사들였다. 우
리는 주말이면 야외로 나가 딸아이의 모습을 찍고 또 찍었다. 늘어
나는 영상만큼 나의 기쁨도 추가가 되었다.

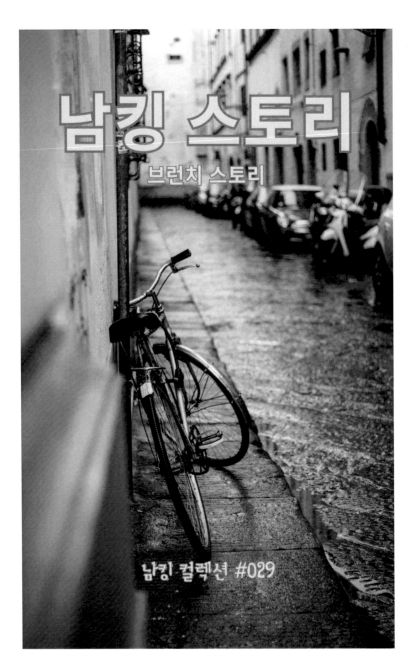

남킹 스토리

브런치 스토리

남킹 컬렉션 #029

남킹 컬렉션 #001

그레고리 블라디의
묘한 죽음

남킹 장편소설

당신의 뜻대로 2

3.

"어 생각보다 지원자가 많네……." 아내는 청소년 센터 강당 문을 비죽이 열며, 탄식 조로 나를 뒤돌아보며 말을 했다. 아내의 얼굴이 긴장으로 굳기 시작했다. 우리는 뒤따라 들어오는 사람들에 떠밀려 강당 안으로 발을 들여놓았다. 나는 적지 않은 사람들을 둘러보며 내 아이를 찾기 시작했다. 안나는 강당 우측 모서리, 또래 아이들이 몰려 있는 곳에 서 있었다. 아이들은 대부분 흰색 혹은 연분홍 발레 연습복을 입고 있었다. 그들은 각자 다양한 춤 동작을 취하며, 연습에 몰입하고 있는 듯 보였다. 나는 아내의 손을 잡고, 사람들 사이를 헤집으며 천천히 그녀 가까이 다가가며, 손을 살짝 흔들었다. 하지만 아이는 알아차리지 못하고, 시선을 천장으로 향한 채, 오른손을 위로 쭉 곱게 뻗으며, 왼쪽 다리를 들고 천천히 회전하는 동작을 연습하고 있었다.

"안나야…! 안나야…!" 아내가 두 손을 입 가까이에 둥글게 모으고 낮은 소리로 몇 번을 불렀다. 이윽고 딸이 알아채고 우리를 쳐다봤다. 그녀는 환하게 웃으며, 엄지손가락을 치켜들며 어깨를 으쓱으쓱 했다.

"저놈의 배짱은 누굴 닮았는지…?" 아내가 피식 웃으며, 나를 쳐다 보면서 혀를 끌끌 찼다. 딸의 조그마한 행동 하나에, 아내의 얼굴에 깃들었던 근심이 사라지는 듯 보였다. 동시에 나의 마음도 조금은 가벼워졌다.

안나가 초등학교 3학년이 되자, 우리는 신도시에 있는 아파트로 이 사를 했다. 자그마한 크기에 턱도 없이 높은 매매가의 아파트를, 나의 급여 대비 상당한 부담을 느낄만한 대출을 끼고 구매했다. 아내의 끈질긴 요구에 결국 내가 승복한 것이다. 나의 출근 시간이 절반으로 줄어든다는 이점도 있었지만, 사실 가장 중요한 이유는 딸의 발레 때문이었다. 동시에 아내의 못다 이룬 꿈에 대한 강박이기도 하였다.

아내는 춤을 사랑하였다.

우리가 사실 처음 만난 것도 강남의 한 유명한 나이트클럽에서였다. 딸에게는 차마 나이트 부킹으로 시작된 인연을 밝힐 수 없어서, 모 미술관에서 우연히 알게 되었다고, 아내와 입을 맞추었지만 말이다. 아내는 고지식하고 뼈대 있는 교육 집안의 장녀로, 그녀가 선택할 수 있는 대학 전공은 교육대나 인문대, 혹은 법대뿐이었다. 장인어른의 말씀을 빌리자면, 여자가 춤을 춘다는 행위는 '엉덩이에 헝겊 쪼가리 하나 걸치고, 허연 허벅지를 드러내고, 음탕한 짓을 하는 몸동작'에 지나지 않는 것이었다.

낙담한 아내는, 그녀가 할 수 있는 최고의 방법으로 반항을 결심하였는데, 그것은 집에서 최대한 먼 곳에 있는 대학에 입학하는 거였다. 하지만, 이 또한 집안의 저항이 만만치 않았는데, 조신한 처녀가 늑대로 우글거리는 서울의 한복판에서 혼자 자취를 한다는 게 도저히 받아들여질 수 없었기 때문이었다. 하지만 아내에게는 한가지 묘안이 있었다. 집안의 대들보이자 3대 독자인 한 살 터울의 남동생이, 서울에서 편안하게 학문에 정진하기 위해서는, 누나인 자신이 먼저 올라가서 미리 터를 잡아 놓아야 한다는 묘한 논리를 내세운 것이다. 아무튼, 그녀는 오랜 고집 끝에, 어렵사리 집안의 허락을 받아, 자유가 숨 쉬는 서울의 모 대학 철학과에 입학하게 된 것이다.

하지만 그녀가 논리로 내세웠던 남동생, 연거푸 대학에 실패하고 어쩔 수 없이 방위병 근무까지 마친 뒤, 그녀가 졸업한 그해에, 겨우 턱걸이로 지방에 있는 모 대학에 입학하였다. 아무튼, 날개를 단 아내는, 각종 댄스 동아리에 가입하여 짧지만, 행복으로 충만한 대학 생활을 보내게 되었다. 하지만 졸업이 다가왔다.

취업하려고 백방으로 쫓아다녔지만, 현실의 벽은 우리 시대 여성에게 너무 가혹했다. 미취업이라는 것은 그녀에게 곧 낙향을 의미했다. 그리고 낙향은 그녀에게 비극의 전조로 여겨졌다. 그녀는 무거운 마음을 안고 고별 댄스 모임을 했다. 그리고 그곳에서 그녀는, 조용필이라는 명찰을 단 친근한 웨이터에게 다음과 같이 물었다.

"아저씨, 저기 저 두꺼운 안경 쓰신 분 여기 자주 와요?"

"아뇨 처음 보는데요."

"회사 다니는 사람인가?"

"뭐 배지 보니까 대기업 같은데요?"

"아 그래요? 그럼 저 좀 소개해 주세요."

그녀를 처음 본 순간, 나는 춤으로 단련된 탄탄한 그녀의 몸매와 긴 생머리에 홀딱 빠져버렸다. 더욱이 그녀는, 내가 수십 번도 더 본 영화에서, 주연으로 나오는 <마이클 콜레오네>의 첫 번째 아내인, <아폴로니아>의 미소를 머금고 있었다. 나의 아폴로니아를 운 좋게 찾은 것이다. 결국, 우리는 육 개월 뒤에 결혼했다. 그리고 다시 육 개월 뒤에는 안나가 태어났다.

내 생에 가장 행복한 나날들이었다.

4.

"맹모삼천이 뭔지는 알잖아? 응?" 아내가 뜨거운 국 냄비를 살며시 내 앞에 내려놓으며, 입을 삐죽거리며 나를 내려보며 말했다. 식탁 한 귀퉁이에는 오늘 낮에 획득한 것이 분명해 보이는 모 아파트 안내 카탈로그가 놓여 있었다. 아내는 내가 해외영업부 차장으로 진급한, 올해 가을부터 줄곧 모 신도시로 이사할 것을 요구해 왔다. 아내의 얘기인즉, 그곳 신도시에 있는 모 청소년 수련관이 있는데, 그곳에 <프러미에 발레단>이 있다고 했다. 그 발레단은 너무도 유명하고 훌륭하여, 매년 수많은 대회에서 각종 단체 또는 개인 우승을 싹쓸이한다고 했다. 그리고 그 지도교사는 세계에서 가장 유명한 발레 학교가 있는, 러시아 유학파라는 것이었다. 그 여선생님은 아주 대단한 안목과 열정을 지니고 있어, 보는 이로 하여금 엄청난 카리스마를 풍긴다고 하였다. 그리고 그녀 밑에서 수학한 학생 중에는, 성공한 발레리나가 적지 않다는 것이었다. 그 유명한 XX 발레리나도 그곳 출신이라고 하였다.

"그래, 그러면 이번 주말에 그 수련관인가 뭔가 하는 곳 한번 구경이나 가 보자…." 나의 말이 끝나기 무섭게 아내가 진지한 표정으로 말을 이었다.

"그 청소년 회관 복도 한쪽 벽면 전체가 상장과 트로피로 가득하다니까……. 글쎄……."

5.

"송안나 학생 입장해주세요…." 거의 마지막에 이르러 딸아이를 호출하는 방송이 강당에 울려 퍼졌다. 대부분의 참가 학생들과 학부모들이 돌아간 텅 빈 강당, 구석진 곳에서 아내와 나는 기다림에 지쳐 있었다. 우리는 차가운 나무 바닥에 퍼질러 앉아 멍한 상태로 있다가, 안나의 호출에 잽싸게 정신을 가다듬고, 거의 동시에 아이를 쳐다봤다. 아이는 우리를 보고 환하게 웃으며, 가벼운 발걸음으로 고개를 들고 가슴을 내밀고 허리를 쭉 당긴 채, 칸막이가 디귿으로 가려진 곳으로 들어갔다. 나는 살금살금 뒤따라 가서, 칸막이 틈새에 얼굴을 가까이 대고 호기심 어린 눈으로 내부를 지켜봤다.

안나의 맞은편에 3명의 심사위원이 앉아 있고, 그녀의 오른편에는 피아노와 연주자가 보였다. 나는 직감적으로, 심사위원 중 중간에 앉아 있는 여자를 유심히 지켜봤다. 그녀가 바로, 아내가 침이 닳도록 찬양을 하던, 바로 그 발레 선생이라는 것을 나는 거의 확신할 수 있었기 때문이었다. 그녀는 가늘고 날카로운 코와 좁고 넓은 이마, 그리고 얇은 입술을 하고 있었다. 복도에 주렁주렁 걸려 있던 우승 사진 속에서 보았던 바로 그 여자가 틀림없었다. 그녀는 화장기가 거의 없는 민얼굴이었지만, 입술에는 붉은 루주가 칠해져 있었다. 그녀는 안나에게 아주 조용한 목소리로 몇 가지 질문을 하는 것 같았다. 아이는 눈을 크게 뜨고 하얀 이를 크게 드러내며 씩씩하게 답변을 하였다.

"다섯 살 때부터요……."

"……"

"백화점 문화센터에서 배웠어요."

"……"

"네, 춤추는 거 좋아해요. 엄마도 좋아하고요. 아빠는……." 안나는 그 대목에서 갑자기 손으로 입을 가리고 선 킥킥거리며 웃기 시작했다. 그러면서 "아빠는요……. 종일 누워서 TV만 보세요……." 아이의 말이 끝나자마자 심사위원들도 덩달아 웃기 시작했다.

"어휴 남사시러버서……." 어느새 아내가 옆으로 다가와서 나의 어깨를 툭 치며 짓궂은 표정으로 나를 쏘아봤다. 숨어서 지켜보는 데도 얼굴이 화끈 달아올랐다.

안나는 이제 몇 가지 발레 동작을 하기 시작했다. 발을 모아 팔자로 펼치더니 척추를 곧게 세우고 다리를 일정한 간격으로 천천히 구부렸다 폈다를 하면서 까치발을 들었다 놓기를 반복하였다. 아이의 눈은 절반쯤 감긴 채, 도도한 표정으로 턱을 살짝 들고선, 전방을 보더니, 어느새 턴 동작으로 이어지며, 다리를 쭉 들어 올렸다 내리기를 하면서 빙글빙글 돌기 시작했다. 10살짜리 어린이치곤 제법 그럴싸하게 보였다. 춤에는 문외한인 나의 눈에도 뭔가 모를 아름다움 같은 게 느껴졌다. 더욱이 그녀는 긴장하거나 위축된 모습을 전혀 나타내지 않았다. 오히려, 엷게 머금은 안나의 미소에서는 자만심마저 느껴졌다.

"너무 당당해 보이지 않나?" 나는 아내에게 고개를 돌리며 속삭였다. 그러자 아내가 콧방귀를 뀌었다.

"쯧쯧 무식한 양반…. 도도함은 발레의 생명과 같은 것이여……. 모르면" 그 순간 나는 아내의 입을 손으로 털어 막았다. 왜냐하면, 다음의 말은 안 들어도 유추가 충분히 가능하기 때문이었다.

"모르면 잠자코 구경이나 하라고?" 아내는 시선을 문틈에 고정한 채 고개만 끄덕거렸다. 그러다 갑자기 아내의 얼굴이 아주 밝아졌다. "우리 안나는 진짜로 체질인가 봐……. 집에선 저 동작이 잘 안 되었거든……. 근데……. 신기하게 사람들 앞에만 서면……." 아내의 얼굴에 확신이 묻어났다. 나는 살며시 그녀의 볼에 입맞춤했다. 어느새 강당은 어둠이 조용히 내려앉고 있었다.

거짓과 상상
혹은
죄와 벌

남킹 장편소설

남킹 컬렉션 #002

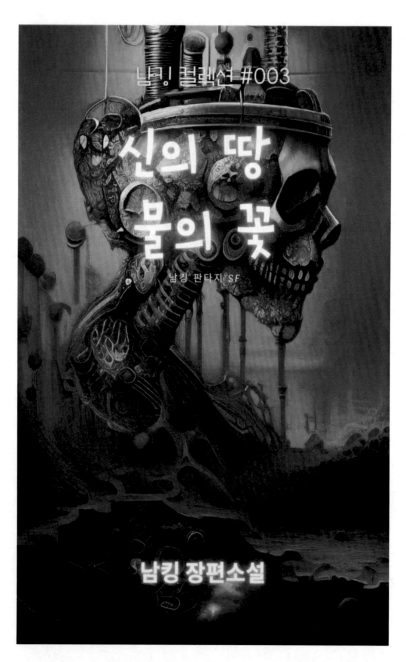

남킹 컬렉션 #003

신의 땅 물의 꽃

남킹 판타지 SF

남킹 장편소설

당신의 뜻대로 3

6.

"여보 합격이래…!" 전화기 너머 들려오는 아내의 목소리에서 떨림
이 전달되었다. 나는 휴대폰을 든 채, 원탁에 앉아 있는 직원들에게
양해를 구하고, 조용히 사무실을 빠져나와 계단을 통하여 옥상으로
올라갔다. 그러는 사이 그녀는, 우리 아이가 10 대 1의 경쟁률을 뚫
었다는 것, 최상급의 점수를 받았다는 것, 자세와 힘이 아주 좋다는
것 그리고 특히 또래의 아이에게서는 거의 찾아볼 수 없는, 표정 연
기가 탁월했다는 것 등등을 두서없이 흥분된 톤으로 늘어놓기 시작
했다. 뒤이어 발레 선생에 대한 찬사가 이어졌다. 차갑게 보이는 외
모와 달리 상당히 다정다감했다는 것부터 시작하여, 수수하고 단아
한 복장과 표정에서 겸손함이 묻어났고, 아이의 현재와 미래에 대한
깊은 애정과 관심을 엿볼 수 있어서 크게 감동하였다는 등등의 말을
두서없이 이어갔다.

그러다 갑자기 수화기 너머에서 복받쳐 흐르는 듯한 울음소리가 들
려왔다. 나는 순간적으로 너무 좋아서 터져 나온 감격의 눈물로 생

각하고 잠시 핸드폰을 든 채 기다렸다. 그런데 그 흐느낌에서 까닭 모를 슬픔이 느껴졌다.

".... 미안해 여보……. 그냥……. 갑자기……. 친정아버지가 너무 미워져서…….” 나는 그제야 내 여자가 겪고 있을 작금의 혼란한 심리 상태가 살짝 이해되기 시작했다. 발레 선생과의 면담 자리에서 어쩌면 그녀는, 자신이 꿈꿔왔던 바로 그 자리에 앉아 있는 여자를 바라보았는지도 모르겠다. 아이의 미래를 얘기하면서, 어쩌면 그녀는, 자신의 꿈과 희망에 굴곡을 준 아픈 과거를, 자기도 모르게 되새김질하고 있었는지도 모를 일이었다.

집안의 장녀로 태어났지만, 가족의 관심과 지원은 남동생에게 집중되어 있었고, 무용을 천박한 짓거리로 치부하는, 집안 어른들의 몰이해 속에 갇혀 살아야만 했던 서러움의 싹이, 마치 가뭄 끝의 단비 속에, 쑥쑥 올라왔는지도 모르겠다. 나는 잠시 기다렸다가, 휴대폰을 가까이 대고 천천히 속삭였다.

“덕분에 나처럼 머어어었찐 신랑 만났잖아……. 금쪽같은 우리 딸도 생겼고 말이야…….” 그러자 수화기 너머에서 코 푸는 듯한 소리가 들려왔다.

7.

안나가 초등학교 5학년을 마칠 때쯤, 우리 집 거실에 있는 나무 선반에는, 반짝이는 입상 트로피와 메달들이 적지 않게 장식이 되어 있었다. 그리고 그녀의 방 벽면에는, 많은 상장이 사각 액자 속에 담겨, 달려 있었다. 그녀의 옷장 속에는, 화려한 망사 스커트가 부착된 아름다운 색상의 발레복 - 옅은 하늘색과 감색의 클래식 튀튀 그리고 백색의 로맨틱 튀튀 - 들이 곱게 개어져 있었으며, 분홍빛 천으로 장식된 상자에는 발레 슈즈와 타이츠가 정연하게 놓여 있었다. 또한, 그녀의 책상에는, 짙은 화장을 하고 우승 트로피를 들고 활짝 웃는 그녀의 사진과 무대의 화려한 조명 아래, 날아가는 백조처럼 우아한 자태를 뽐내는 장면의 스틸 사진도 액자에 담아 놓여 있었다.

그녀는 청소년 발레 단원이 된 이후, 거의 두세 달에 한 번꼴로 콩

쿠르에 참가하였으며, 연말에는 발표회도 했다. 저학년일 때는 주로 단체 위주로 경연하였으나, 5학년으로 올라가면서 안나는 본격적으로 솔로 대회도 병행하여 참가하게 되었다. 그리고 그녀는 참가하는 대회마다, 비록 순위는 달랐지만, 빠지지 않고 입상을 하는 빼어난 실력을 선보였으며, 어느새 발레단의 가장 중요한 인물로 회자하기에 이르렀다. 그즈음 청소년 회관 복도에 안나가 포함된 사진들도 덩달아 늘어나기 시작했다. 하지만 안나가 차지하는 비중이 늘어남에 따라, 그만큼의 시기와 질투, 경쟁은 심화하고 있었다.

대회나 공연 일정이 잡히면, 또래의 아이들은 더 좋고 중요한 배역을 따내기 위하여, 보이지 않는 신경전을 알게 모르게 서로 간에 펼치곤 하였다. 하지만 안나는 다소 무덤덤한 편이었다. 주변의 따가운 질투는 느꼈지만 애써 담아 두려고 하지 않았고, 나날이 치열해지는 경쟁자들을 의식은 하였지만 아등바등하며 이기려고 하지도 않았다. 그런데도 그녀는 좋은 배역을 받았고 또한, 좋은 결과로 답례를 하곤 하였다. 어쩌면 그녀는 너무도 쉽게 세상의 중심이 자신에게 쏠려 있고, 너무도 편안하게 세상의 관심을 받고 있다는 그것에 대해 두려움을 본능적으로 자각은 하고 있었는지도 모르겠다. 어느 날 그녀는 내게 이렇게 말했다.

"아빠…. 가끔은 이 모든 게 바람처럼 휙 하고 사라질까 봐 걱정되기도 해……." 그리고 나는, 점점 내 아버지를 닮아가는 딸의 모습을 불안한 시선으로 바라보곤 하였다.

8.

안나가 초등학교 6학년이 된 어느 날, 저녁 식탁에서 마주한 아내와 딸의 표정이 어두웠다. 이번 대회에서 입상하지 못했다고 하였다. 꽤 비중 있는 전국 대회였고, 준비도 나름대로 열심히 하였다고 한다. 나는, 사람이 가끔은 몸 상태가 안 좋을 때도 있는 거고 또, 실수도 할 수 있는 거라며, 애써 모녀에게 위안을 주었지만, 분위기는 더 무거워져만 갔다.

아내는 우선, 그다지 전문적이지 못한 심사위원들을 비난하기 시작했다. 알고 봤더니 세 명의 심사위원 중, 두 명이 국내파 대학원생이었다는 것이며, 자기네 지역 출신 참가자들에게 편파적으로 후한 점수를 줬다는 것이었다. 특히, 솔로에서 대상을 받은 학생은, 작년에는 순위에 한 번도 이름을 올린 적이 없는 아이로, 말라깽이 몸매에 다리만 비정상적으로 길었지, 기술이나 표현력에서는, 우리 안나에 비교할 바가 못 된다면서, 마른 오징어무침을 질겅질겅 씹어댔다. 그러면서 아내는, 틀림없이 그 학생과 심사위원 사이에 모종의 거래가 있었을 것이라는, 딱히 근거 없는, 그러나 다분히 감정 섞인 비난을 서슴지 않았다.

발레 선생도 결과 발표 후, 아내에게, 이해가 되지 않는다면서 조만간에 대회 책임자를 만나보겠다고 했다면서, 아내는 이번 일을 그냥 넘어가지 않겠다는 듯한 비장함을 보이기도 하였다. 하지만 며칠 후, 아내가 발레 선생을 면담하고 온 그날 밤, 아내는 김빠진 맥주처럼 풀이 죽어 있었다. 그러더니 갑자기 뜬금없는 질문을 내게 하였다.

"당신 집안에서 왜 당신만 돌연변이야?"

"그게 뭔 소리지?"

"당신만 키가 작고 말랐잖아. 봐봐…당신 아버지, 작은아버지, 삼촌들 다 키 크고 뚱뚱하시지, 당신 사촌들도 다 크고 펑퍼짐하잖아…."

"나야 외탁했으니까 그렇지 뭐…" 나는 불편한 마음으로 퉁명스럽게 대답했다. 지금까지 친지 모임에서 귀가 따갑게 들은 말이 '외탁'이었다. 아마 우리 어머니가 이 세상에서 가장 싫어하는 단어일 것이다.

사실 나의 체구가 그다지 작지는 않다. 오히려 평균에 가까웠다. 하지만 우리 집안사람들 대부분이 워낙 컸다. 대부분 100kg에 육박했다. 그래서 제사 지낼 때마다, 거구의 사촌들 틈에 끼여, 마치 고목에 붙은 매미 같은 느낌으로 절을 하고는 했다.

"근데 왜 느닷없이 그 얘기가 나와?"

"안나 허벅지를 보면서 뭐 느끼는 게 없수? 당신…"

"우리 안나 허벅지가 왜? 통통하고 이쁘기만 한데…" 그러자 아내는 원망 섞인 한숨을 크게 쉬더니, 치마를 걷어 올리고선, 자신의 다리를 위로 한번 쭉 뻗으며 내게 말하였다.

"우리 안나가 나를 닮았으면 요런 다리가 나왔어야 한다는 거여…"

아내의 다리는 처녀 시절에서 달라진 게 거의 없이 미끈하였다. 즉, 아내가 말한 요지는, 안나가 외탁을 하지 않았다는 것이다.

"예전에 안나가 너 닮았다고 그러지 않았나?"

"나도 그땐 그런 줄 알았지…"

"그런데 뭐 다리가 좀 통통하면 발레 못한데?"

"좀 통통한 게 아니니까 문제지…" 그러면서 아내는, 발레 선생에게 들은, 심사위원의 견해를 알려주었다.

5학년까지는 다분히 취미 활동에 가깝지만, 이제 6학년이 되면 현재의 실력만큼이나 미래 지향성을 염두에 두지 않을 수가 없다는 것이다. 즉, 성인이 되어 전문 발레리나로서의 체형을 갖추었는지를, 이제는 평가항목에 포함을 시켜야 한다는 것이다. 더욱이 남자 파트너와의 호흡도 중요한데, 그러려면 작고 가벼워야 한다는 것이다. 아내는 여기에 덧붙여, 안나가 요즘 들어 부쩍 식탐이 늘었다고 하였다. 문제는 살이 위로 가지 않고 옆으로만 간다고 하였다. 아니나 다를까, 내가 봐도 최근에 안나가 좀 통통해진 걸 느낄 수 있었다. 그러자 갑자기 서늘한 기운이 느껴졌다.

나는 외탁이라서 고통받았고, 내 딸은 외탁이 아니라서 고통받는 묘한 현실에서 말이다.

남킹 컬렉션 #004

심해
deep ocean

남킹 SF 장편소설

리셋

Reset

남킹 SF 소설집

남킹 컬렉션 #010

당신의 뜻대로 4

남킹 스토리 2

9.

거의 일 년 동안 불쌍한 모녀는 다이어트에 매달렸다. 나는, 다이어트의 종류가 무궁무진하며 그 시장이 어마어마하게 크다는 사실을 그때 깨달았다. 사실, 평생 도대체 살이라는 게 쪄 본 적이 없는 나로서는, 다이어트라는 용어 자체가 마치 수억 광년 떨어진 외계행성만큼이나 멀게만 느껴졌다. 하지만 이제는 친숙하다. 아주 친숙하다. 나는 간헐적 다이어트, 레몬 디톡스 다이어트, 원푸드 다이어트, DASH 다이어트, 황제 다이어트의 과정들을 옆에서 지켜봤다. 그리고 안타깝게도 이 모든 게 나의 딸에게 그다지 효과적이지 않다는 현실에 꽤 많이 실망을 하곤 했다.

안나는 다이어트의 부작용, 즉 요요현상을 매번 겪어야만 했다. 하지만 이것만이 아니었다. 못 먹어 지친 그녀의 몸에, 나날이 강도를 더해가는 발레 연습이, 그녀를 궁지로 몰아넣기 시작하였다. 막다름에 몰린 그녀는 실수가 늘어나고 표정이 굳어지고 있었다. 성적이 당연히 나오지 않았다. 발레 공연의 주연에서 조연으로 어느새 밀려 나갔다. 솔로 선발에서도 다른 친구에게 양보할 수밖에 없었다. 더욱 안타까운 것은, 그녀의 태평스럽고 대범하던 성격이 변했다는 것이다.

그녀는 불안해하고 신경질적으로 바뀌어 갔다. 엄마와 싸움이 잦고 누군가에 대한 알 수 없는 비난이 갈수록 늘어났다. 결국, 그해 겨울, 프러미에 발레단에서 맞이하는 마지막 발표회를 한 달 정도 앞둔 그 날, 안나는 발레의 꿈을 접고 말았다. 춤을 춘다는 게 너무나 고통스럽다고 하였다. 그리고 이듬해 그녀는 예술 중학교가 아닌 일반 중학교로 진학을 하였다.

10.

"아빠……. 음……. 피아노를 배울까 생각해요…" 안나는 눈을 가늘게 뜬 채, 입술을 길게 잡아당기며, 다분히 장난기 어린 표정으로 나를 쳐다보며 말을 했다. 그녀가 중학생이 된 그해, 어느 무더운 여름날, 일찍 귀가한 나는, 모처럼 만에 가족들과 다정한 저녁 식사를 하던 중이었다. 나는 그 말을 듣고 은근히 기분이 좋아졌다. 마치 오래전부터 기대하고 있었던 것처럼 설레기도 하였다. 지난겨울의 아픈 상처가, 계절의 변화와 함께, 빠르게 아물고 있다는 징후가 곳곳에서 포착된 듯 보였다. 적어도 표면적으로는 그렇게 보였다.

그녀는 예전보다 확실히 다시 밝아졌고 느긋해졌으며 농담이 늘어났고 새로운 친구들이 생겨났다. 나는 다정스러운 표정으로 물어봤다. "어디 봐둔 학원이라도 있어?" 나의 물음에 아내가 끼어들며 대답을 했다.

"저기 가동 아파트 상가 있잖아. 거기 로또 명당자리 있는 거기…거기 2층에 피아노 학원이 있는데, 안 그래도 오늘 낮에 안나하고 같이 가서 상담받고 왔는데…생각보다 되게 크더라고…선생도 되게 실력파셔…. 알고 봤더니 독일에서 유학했더라고…"

독일 유학이라는 말에 나는 순간적으로 쿡하면서 헛웃음이 터져 나와, 씹고 있던 밥알을 거의 쏟아 낼 뻔한 위기를 가까스로 모면했다.

나는 마음속으로, '러시아 유학에 이어 이번엔 독일 유학이여?'라고 빈정거리고 싶었지만, 안나의 상처를 건드리고 나아가 우리 가족의 평화를 깨트릴 소지가 충분한 발언이라는 사실을 경각하고는 속으로 꿀꺽 삼켰다. 그리고는 다소 과장된 표정으로, 놀라움을 표시하며 안나에게 물었다.

"그래? 그럼 이제 우리 딸, 피아니스트 되는 거야?" 그러자 안나는 눈알을 돌리며, 어깨를 으쓱으쓱하더니 웃으면서 말하였다.

"음…. 아빠가 머어었찐 피아노 사주면 한번 고려해볼게…." 그 말에 감당할 수 없는 웃음이 터져 나왔다. 결국, 밥알 몇 개가 입에서 뿜어져 흩어졌다. 그중 하나가 하필이면 아내의 입술 위에 찰싹 달라붙었다. 아내는 그런 줄도 모르고 깔깔거리며 웃어 젖혔다. 우리 가족 모두 환하게 웃었다. 순간 아내의 모습에서, <마릴린 먼로>를 보는 것 같은 착각이 들었다. 아주 잠시지만 말이다.

11.

그로부터 며칠 뒤, 우리 가족은 전자 오르간을 사기 위하여 낙원 악기 상가를 찾았다. 피아노 대신 전자 오르간을 선택한 이유는, 아파트 특성상, 층간 소음으로 이웃들과 마찰을 빚을 수도 있거니와, 안나가 아직 초급 단계이므로, 부담 없이 가볍게 취미 생활로 우선 시작하기로 의견을 모았기 때문이었다. 우리는 낙원상가가 초행길이었으므로 물어물어 겨우 도착할 수 있었다.

입구에 들어서자 반짝거리는 전자 기타들이 일렬로 쫙 늘어선 채 우리를 반기는 듯하였다. 뒤이어 고급스러워 보이는 피아노들이 눈에 들어왔고, 벽에는 다양한 종류의 현악기들이 저마다의 자태를 뽐내며 매달려 있었다. 우리는 눈이 휘둥그레져진 채, 복도를 천천히 걸으며, 사방팔방에 펼쳐져 있는 다양한 음악의 세상에, 감탄의 시선으로 훑고 지나갔다. 이윽고 우리는 유리로 된 사각의 방에 발걸음을 멈추었는데, 그곳에는 멋진 전자 오르간들이 계단식으로 진열되어 있었다. 문을 열고 들어가자 중년의 아저씨가 반가운 미소로 우리를 맞이했다.

나는 딸아이가 이제 막 배우기 시작하였다고 말하고, 초급 학생을 위한 적합한 악기를 추천해달라고 요청하였다. 그는 안나를 보고 가까이 오라고 손짓을 한 뒤, <인기 상품>이라는 마크가 붙어있는 오르간의 파워를 켠 뒤, 한 손으로 악기를 연주하기 시작하였다. 귀에 익숙한 곡이었다. <아드린느를 위한 발라드>. 내가 알고 있는 몇 안 되는 피아노곡 중의 하나였다. 아내도 아는 듯 고개를 끄덕끄덕했고, 안나는 감탄의 표정으로 연주자의 손을 지켜보고 있었다. 그러자 그는 나머지 손으로 여러 가지 스위치와 다이얼을 만지기 시작하였는데, 그럴 때마다 다양한 음질의 소리가 흘러나왔다. 소리가 바뀔 때마다, 우리는 서로를 쳐다보며 신기한 듯 웃었다. 덩달아 연주자도 신이 난 듯, 연주 속도는 빨라지고 음향효과는 더 다양하게 바뀌었다. 나중에는 드럼 소리에 천둥 치는 소리, 돼지 소리까지 흘러나왔다. 우리는 이 신기하기 짝이 없는 악기에 온통 마음을 빼앗겨버렸다.

나는 그 자리에서 망설이지 않고 구매를 결정하고 신용카드를 내밀었다. 얼마 지나지 않아 한 청년이 큰 박스 하나를 가져와 내게 안겼다. 박스에 포장된 전자 오르간이 눈대중보다는 꽤 커 보였지만, 다행히 무게는 가벼운 편이었다. 아내와 나는 박스의 양 끝을 두 손으로 각자 받쳐 들고, 좁은 복도를 조심스럽게 걷기 시작했다. 앞서 가던 안나가 갑자기 휙 고개를 돌리더니
"아빠 고마워……. 열심히 할게…. 난 아무래도 음악 쪽인가 봐….."
하면서 멋쩍은 미소를 지었다. 그러자 끙끙거리며, 뒤따라오던 아내

가 한마디 거든다.

"에구 아빠 닮아서 좋겠수……."

"아빠도 음악 좋아하는 거야?"

"너희 아부지……. 말도 마라……. 음악 한다고 가출까지 한 분이시란다……." 이 말을 들은 안나가 재밌다는 듯이 눈을 동그랗게 뜨고 나를 쳐다본다.

"아빠! 정말 가출까지 했었어?" 나는 천천히 고개를 끄떡이며 가던 길을 멈추었다.

마침 그곳에는 통기타들이 주렁주렁 매달려 있는 곳이었다. 나는 잠시 쉬어가자며, 전자 오르간 박스를 통로에 세운 뒤, 손에 잡히는 기타를 하나 쥐고는 바닥에 퍼질러 앉아 연주하기 시작했다. <Led Zeppelin>의 <Stairway to Heaven>. 내가 끝까지 연주할 수 있는 몇 안 되는 곡 중의 하나였다. 나는 두 여인의 눈을 번갈아 쳐다보며 거만한 표정으로 기타 코드를 바꾸어 나갔다. 마치 전설의 기타리스트인 <지미 페이지>가 된 것처럼.

남킹 컬렉션 #011

1월의 비

남킹 감성 소설집

남킹 컬렉션 #012

남킹의 문장

언어의 마법사 남킹의 문장들

당신의 뜻대로 5

12.

라디오에 대해, 내가 가졌던 최초의 기억은 무서움이었다. 어릴 적, 내 집에는 언제부터인가, 어른 손바닥만 한 까만 일제 라디오가 있었다. 등에는 자신보다 더 크고 뚱뚱한 배터리가 고무줄로 칭칭 매어져 있었고, 머리에는 반짝거리는 은빛 안테나가 늘 비딱하게 뻗어 있었다. 아버지는 밤이 깊어지면, 이부자리를 펴신 뒤, 라디오를 머리맡에 두시고는, 엎드린 채, 다이얼을 이리저리 굴려서 채널을 맞추시곤 하셨다.

아버지가 가장 좋아하는 라디오 프로그램은 <전설 따라 삼천리>이다. 아버지뿐만 아니라 우리 가족 전체가 다 좋아했다. 아니 우리 동네 모든 사람이 좋아했다고 해도 과언이 아니다. 라디오에서 밤 10시 정각을 알리는 시보와 함께 구슬픈 가락의 전설 따라 삼천리 시그널 음악이 안방에서 흘러나오면, 누나와 나는 하던 일을 멈추고, 마치 귀신에 홀린 듯, 안방으로 건너가 아버지 곁에 각자의 자세로 자리를 잡았다. 그러면 라디오에선, 산신령 같은 목소리의 해설자가 나와, '저으은 설 따라 사아암천리…'라고 하며 오늘의 이야기를 시작하는 것이었다.

그때쯤이면 나는, 오늘은 제발 무서운 전설이 나오지 않기를 속으로 간절히 빌곤 하였다. 하지만 돌이켜 보건대, 나의 바람대로 이루어진 건 손에 꼽을 정도였었다. 전국에는 참 많은 귀신이, 저마다의 기구한 사연과 원한을 품고 복수와 응징으로 이어지는, 한 맺힘의 슬픈 이야기가 차고 넘치는 듯 보였다. 나는 귀신이 등장할 만한 순간이 예측되면, 이불 끝자락을 한 손으로 꽉 움켜쥐곤 하였는데, 여차하면 재빨리 이불 속으로 숨기 위해서였다. 텔레비전처럼 눈으로 보는 것도 아니고, 줄곧 열려있는 귀로 듣는 건데도, 왠지 이불 속에 있으면 덜 무서운 듯 느껴졌다.

나만 그런 건 아니었다. 누나도 나와 얼굴을 맞댄 채, 귀를 반쯤 양손으로 닫고는, 무서운 장면이 빨리 지나가길 소원하곤 하였다. 그리고 그런 날은, 마당 건너편에 있는 변소 가기가 죽을 만큼 싫었다. 무서움으로 잠도 쉬이 들지 않았다. 그런데도 다음날 밤이 깊어지면, 어김없이 라디오에 귀를 쫑긋 세우곤 하였다.

그런데, 아주 많은 세월이 흐른 어느 날, 그러니까 그때의 아버지보다 훨씬 더 나이가 들어, 머리는 벗어지고 수염은 회색으로 변해버린 그러한 나이에, 어느 안개 낀 일요일 아침, 독일 쾰른에 있는 5평 남짓의 32층 기숙사에서, 나는 무심결에, 잊혔던 오싹함을 경험하고 있었다. 나는 무료한 아침을 달래기 위하여, 안나의 책상 옆에 제멋대로 놓여 있는 CD 하나를 집어 휴대용 플레이어에 넣어 듣고 있었는데, 바로 까마득히 잊고 지냈던 그 무서운 시그널 음악이 흘러나온 것이다.

나는 급히 CD 표지를 살펴보았다. <클로드 드뷔시>의 <조각배(En bateau)>. 뜻밖의 만남에 반가움이 올라왔지만, 두려움이 더 강하게 느껴졌다. 어린 시절의 잔영은, 이제 강산이 다섯 번이나 바뀌는 세월의 풍파 속에서도 여전히 유효하게 내 속에 남아있는 것이었다. 나는 그 순간, 문득 그 라디오가 궁금해졌다. '아직도 고향 집 다락방에 처박혀 있을까? 아니, 아직 고향 집이 남아있기는 한 것일까?'

13.

라디오에 관한 추억이 마냥 부정적인 것만은 아니다. 그날의 이른 아침은 여느 때와 달랐다. 안방에서 들려오는 아버지의 외침이 우리 가족 모두를 깨우고도 남았다. 나는 잠이 덜 깬 부스스한 얼굴로, 팬티만 걸친 채, 아버지에게 달려가, 라디오에 귀를 바싹대고 있는 그의 넓은 등에 올라탔다. 그러자 아버지는 고개를 돌려, 흥분된 표정으로, 나에게 조용히 하라고 타이르시곤, 다시 고개를 돌려 라디오로 귀를 가져갔다.

라디오에서는 심한 잡음과 같은 소리와 함께 흥분된 남자가 쉴 없이 떠들어 대고 있었다.

"아부지…. 지금 뭐하는데?"

"홍수환이 권투 시합한다. 아이가……."

"권투가 뭐꼬?" 나의 질문에 아버지는 눈을 한번 찡긋거리더니, 다시 시선은 라디오로 향한 채, 쉰 듯한 목소리로 중얼거렸다.

"주먹으로 아 두드려 패는 기다…."

"그건 깡팬데……. 홍수환이 깡패가?"

"……" 그러다 갑자기 아버지가 이상한 말을 외치면서 펄쩍펄쩍 뛰기 시작했다.

"따운 따운……. 또 따운이다……." 그러면서 나를 번쩍 안으시고는, 우리 홍수환이 세계 챔피언이 되려는 모양이라시면서 깨춤을 추셨다. 거구의 아버지가 춤을 추시니 좁고 낡은 집이 흔들흔들했다. 그리고 그날, 춤은 아버지만 추신 게 아니었다. 옆집 서방구 아버지도, 건너편 오말자 아버지도, 흔들흔들하며 우리 집으로 모여들어 한바탕 잔치가 벌어졌다. 나도 덩달아 춤을 췄다. 영문도 모른 채 말이다.

14.

그리고 내가 중학교 2학년이 된 어느 날, 나는 라디오를 들으며 또 한 번 추억의 깨춤을 추기 시작했다. 허리도 제대로 펼 수 없는 낮은 다락방에서, 엉거주춤한 자세로, 함성과 함께 몸을 비틀기 시작했다. 누나가 쿵쾅거리는 소리에 놀라서 달려와 다락문을 벌컥 열었다. 나는 라디오를 그녀에게 내보이며 큰소리로 외쳤다.

"이 노래 들리제……. 철새는 날아가고 다……. 내가 신청한 노래다……. 억수로 좋제……. 이 노래……." 그러자 누나가 삐딱한 표정으로 한심스럽다는 듯이 대꾸했다.

"뭐시라……. 철새라고……. 어휴…. 저거 언제 철들겠노……. 날아댕기는 바퀴벌레나 잡아라. 인마……." 하면서 문을 쾅 닫았다. 그러자 흘러나오던 노래가 갑자기 광고로 바뀌어 버렸다. 1절도 못 끝내고 그만 끝나버린 것이다. 아쉬움이 쓰나미처럼 밀려왔다. 일주일을 꼬박 기다린 끝에, 1분 동안의 감격만 남긴 채 사라진 것이다.

나는 노래를 담을 수 있는 레코더가 꼭 필요하다는 사실을 느끼게 되었다. 나의 애창곡을 담을 수 있는 카세트테이프 레코드의 존재가 절실한 것이다. 나는 동네 시장 입구에 자리 잡은 전파상으로 달려 갔다. 그동안 등하굣길에 무심코, 수없이 지나쳤던 이곳을, 나는 눈이 뚫어지라 바라봤다. 유리로 된 낡은 진열장에는, <테레비, 전축 출장 수리>라는 글귀가 붙어있고, 다양한 모양의 전축과 라디오들이 진열되어 있었다.

나는 그중에, 선반 맨 하단에 놓인 제품 하나에 시선이 꽂히기 시작했다. 까만 색상으로, 좌측에는 1개의 카세트테이프 데크가, 우측에는 동그란 스피커와 유리로 된 AM/FM 라디오 주파수 표시창이 보였다. 위에는 휴대하기 편하도록 손잡이가 달려 있었고, 여러 개의 버튼도 있었다. 대부분 버튼은 까만색이었으나 한 개는 빨간색이었다. 나는 그 버튼이 내가 그렇게 바라던 녹음 버튼인 것을 직감적으로 알 수 있었다. 나는 꽤 오랫동안 그 자리에 선 채 그것을 바라보았다. 그리고 어떻게 하면 저것을 살 수 있을까를 고민하고 또 고민해 보았다. 하지만 아무리 생각해도 묘책이 떠오르질 않았다. 우리 집 형편에 저 레코드는 너무도 사치스러워 보였다.

그날 이후, 나는 학교가 파하고 집으로 오는 길이면, 습관적으로 전파상 앞에 멈춘 채, 한동안 라디오 레코드를 바라보곤 하였다. 보면 볼수록 점점 좋아 보이고 점점 더 갖고 싶어졌다. 하지만 가족 누구에게도 털어놓을 순 없었다. 비록 외아들이었지만, 지금까지 어느 것 하나 넉넉하게 가져본 적이 없는 나로서는, 실현 가능성이 낮은 욕망에 대한 절제와 타협에 이미 길들어 있었다. 하지만 이번에는 달랐다. 누르면 누를수록 틈새로 삐져나왔다. 잊으려고 하면 할수록 늘 기억의 한구석에 자리하고 있었다.

그러자 마음의 병이 들기 시작했다. 집에 오면 말없이 가방을 획 던지고는, 다락방에 올라가서는 처박혀 꼼짝하지를 않았다. 밥상머리에서도 멍하니 초점 잃은 표정으로 말없이 밥만 먹었다. 엄마가 부르면 시큰둥했고, 누나가 말을 걸면 짜증부터 냈다. 그렇게 몇 주가 지나자 마음의 병은 이제 몸으로 옮아갔다. 식욕도 떨어지고, 초여름의 쾌청한 날씨인데도, 으슬으슬하게 추위를 타더니, 어느새 몸 구석구석 뼈 마디마디가 아팠다. 결국, 이틀 동안 학교도 가지 않고 누워서 보냈다. 그리고 몸이 좀 나아졌을 때쯤, 나는 다시 전파상을 찾았다.

한동안 서성거리며 바라보고 있는데, 전파상 문이 반쯤 열리더니, 주인으로 보이는 아저씨가 안으로 들어오라고 손짓을 하였다. 나는 주섬주섬하며 발을 안으로 들여놓았다. 아저씨는 대뜸 "니 어제는 와 안 왔노?"라고 하면서 싱긋이 미소를 띠고 있었다. 마치 나의 일거수일투족을 꿰뚫어 보는 듯한 표정이었다. 나는, 내 속의 주체할 수 없는 욕망 덩어리가, 백주대로에 사람들에게 온전히 다 까발려진 것 같은 심한 부끄러움에, 얼굴이 화끈하게 달아올랐다. 쥐구멍이라도 있으면 숨고 싶은 마음에, 입을 비죽거리며 대답도 못 하고 그냥 서 있었다. 그러자 아저씨는 흑백으로 된 인쇄물 한 장을 내게 내밀었다. 받아보니 바로 그 카세트 라디오의 광고 전단이었다.

전단 윗부분에는 '이제부터 본격적인 카세트 라디오를 즐겨주십시오……'라는 글자가 큰 글씨로 인쇄되어 있었고, 왼쪽에는 제품의 사진이, 오른쪽에는 제품명과 특징, 판매처 등이 적혀 있었다.

"너거 어머이한테 한번 보여봐라…. 요즈음 최고로 잘 나가는 긴데……. 이 아저씨가 특별히 니한테 억수로 싸게 파께……." 나는 대답 대신, 꾸벅 한번 인사를 하고는, 잽싸게 전파상을 빠져나와 집으로 힘차게 뛰어갔다. 나는 뛰면서, 이번에는 꼭 어머니에게 말씀드리겠다고 다짐하고 또 다짐했다.

하지만 집이 가까울수록, 내 속에 채워졌던 용기가 듬성듬성 빠져나가기 시작했다. 이윽고 대문에 들어서자, 나의 결심은 모두 방전되고 말았다. 나는 다시 예전처럼 어깨를 축 늘어뜨리고, 힘없이, 멍한 표정과 함께 다락방으로 들어가고 말았다. 가져온 전단은 양쪽 모서리에 풀칠해서 창 옆 벽면에다 붙였다. 그리고 한동안, 그 속의 제품 사진을 물끄러미 쳐다봤다. 그러자 자신이 참 초라하다는 생각이 들기 시작했다. 서글픈 생각이 물밀 듯이 밀려왔다. 그리고 그 슬픔은 원망으로 바뀌기 시작했다. 이런 작은 소망조차 채워줄 수 없는 아버지의 무능함이 너무도 원망스럽게 느껴졌다.

"너거 할아버지 때는, 밟고 댕기는 여가 모두 우리 땅이었다 아이가…." 아버지는 틈만 나면 그렇게 옛날을 자랑하셨다.

"집에 머슴과 식모가 바글바글했다…. 내 어릴 때만 해도…." 아버지는, 술을 한잔 걸치고 오신 날이면, 대청마루에 벌떡 누우셔서, 밤하늘의 별을 쳐다보며, 그렇게 날 풀처럼 사라진 지난날의 풍요를 읊조리곤 하셨다.

"술 마시고 노름으로 다 말아 묵었뺐다 아이가…. 너거 할아버지 돌아가셨을 때……. 집에 숟가락 몽둥이 하나도 안 남았는 기라……. 참 해도 해도 너무 했제……. 대대로 내려오던 그 많은 재산을 홀라당 그렇게 우찌 거덜내뿌노 말이다……." 그렇게 아버지는 할아버지를 원망하셨다.

그리고 이제 나는, 대를 이어 아버지를 원망하고 있었다. 그러자 나의 원망은, 어렴풋하게나마, 나의 다음 대까지 생각이 미치기 시작했다. 나는 그날 밤, 만약 내 자식에게 아무것도 해 줄 수 없는 상태가 된다면, 절대로 결혼을 하지 않겠다고 결심했다. 그리고 만약 자식이 생긴다면, 절대로 못난 아비가 되지 않겠다고, 어금니를 꽉 깨물며 다짐을 했다.

길에 내리는 빗물

남 킹 소 설 집

남킹 컬렉션 #024

당신의 뜻대로 6

15.

다음날 나는, 학교 가는 버스를 타고 가다 중간에 내려 버렸다. 다소 충동적이었지만, 예전부터 꼭 한 번은 해보고 싶었었다. 내가 내린 곳은 빌딩과 유흥가가 밀집한 상업지역이었다. 이른 시간인지라, 대부분의 식당과 술집들은 셔터가 내려져 있었고, 낙엽과 쓰레기들이 바람에 이리저리 몰려다녔다. 그리고 회사원으로 보이는 많은 사람이 빠른 걸음으로 나를 스치며 지나갔다. 그들은 보고 있자니, 부러움이 밀려왔다. 타임머신이라도 있다면, 후딱 어른이 된 나의 미래로 떠나고 싶다는 마음만 들었다.

나는 마땅히 갈 곳을 정해 놓은 것도 아닌지라, 그냥 설렁설렁 발길 닿는 대로 돌아다니기 시작했다. 그렇게 이 골목 저 골목 돌아다니다 보니 어느새 허름한 극장 앞에 발길이 멈추었다. 가만히 살펴보니, 초등학교 때 단체로 반공 영화를 관람한 그 극장이었다. 나는 매표소를 서성거리며 요금을 살펴봤다. 2편 동시 상영인데도 상당히 저렴한 편이었다. 나는 가방 구석 깊은 곳에 꽁쳐둔 비상금을 털어서 입장권을 샀다.

두툼하고 푹신한 극장 문을 열고 들어가 보니 외국영화가 상영 중이었다. 나는 어둠에 눈이 익을 때까지 잠시 복도에 서서 기다렸다가, 맨 뒤쪽 열에 자리를 잡고 앉았다. 어디선가 퀴퀴한 냄새가 올라왔다. 아직 오전이라 그런지 몇 안 되는 관객들만 보였다. 영화는, 중간부터 봐서 그런지 도통 무슨 내용인지 알 길이 없었다. 다만, 정장한 신사들이 참 여러 가지 방법으로 사람들을 잔인하게 죽이고 있었다. 그중에 압권은 마지막 장면이었다. 마치 살인의 종합세트를 보여주는 것 같았다.

처음에는, 웅장한 파이프오르간 소리가 울려 퍼지는 성당에서, 아기에게 세례를 주는 엄숙한 장면으로 시작하더니, 느닷없이 엘리베이터에서, 안마소에서, 회전문에서, 침실에서, 계단에서, 동시다발적으로 사람들을 총으로 쏴 죽이기 시작하는 거였다. 그야말로 충격 그 자체였다. 나는 놀란 입을 한동안 다물 수가 없었다. 그동안 자라면서, 보고 배워온 바에 따르면, 가난한 우리나라를 원조해준 미국이라는 참 아름답고 우아한 국가에서, 저런 살인광들의 모습들이 그려진다는 게 도대체 이해가 되지 않는 거였다. 나는, 영화가 끝나고, 작고 더러운 영화관에 조명이 밝아오면서, 사람들이 하나둘씩 자리에서 모두 떠나갈 때까지, 멍하니 객석에서 한동안 앉아 있었다. 뭐 사실 딱히 어디 갈 곳도 없었으니까.

그리고 아주 많은 시간이 흐른 뒤, 나는 그 영화가 <대부>라는 것과 아주 유명하다는 것 그리고 주요 무대가 뉴욕이라는 사실을 알게 되었다. 나는 그날, 그 삼류 극장에서 이 영화를 이틀에 걸쳐서 대여섯 번 정도 봤었다. 그리고 대학생 때 학생회관에서 다시 보게 되었는데, 그만 이 영화에 그야말로 꽂히고 말았다. 그 후로, 환갑을 바라보는 나이가 된 지금까지, 나는 잊을만하면 한 번씩 보게 되었으며, 몇몇 장면들은 이제 너무도 익숙하게 나의 뇌리에 자리를 잡게 되었다.

그중, 가장 좋아하는 장면들은, 2번의 웨딩 댄스이다. 영화 초반에 나오는, 딸 <코니>와 아빠 <비토>의 웨딩 댄스는, <The Godfather Waltz> 제목의 메인 주제곡과 함께 나오는데, 볼 때마다 부러움과 설렘을 내게 안겨주었다. 부러움이란, 나도 언젠가 딸을 가질 수 있을까 하는 의문과 딸이 한 명 정도 있다면 좋겠다는 마음에서 비롯된 것이라면, 설렘은, 딸과 춤을 출 만큼 서로 사랑하고 또 배려할 수 있을 정도로 친숙한 관계가 유지되기를 바라는, 또 다른 욕심에서 비롯되었을 것이다.

2번째 결혼 댄스는, 주인공 <마이클>과 그의 첫 번째 아내인 <아폴로니아>가 시칠리아의 한 시골에서 행한 결혼 장면에 등장한다. 순백하고 청순한 아폴로니아와의 첫 만남부터, 첫 데이트 그리고 마을 전체가 떠들썩한 결혼 장면들도 뭣 하나 빠트릴 것 없이 아름답지만, 무엇보다도 마이클과 그의 아내가 추는 춤 장면은 내겐 황홀감으로 다가오곤 하였다. 어쩌면 그때부터 나는 내 여인에 대한 기준을 아폴로니아에게 맞추어 버리는, 다분히 비현실적인 환상에 갇혀 살았는지도 모르겠다. 영화에서 자주 등장하는 운명적 만남 뭐 그런 거 말이다. 그래서 나는 인위적 만남을 줄곧 피해 다녔다. 그러자 시골에 계시는 부모님은 안달이 나셨다. 하나뿐인 아들이, 번듯한 직장도 있고, 그렇다고 성 기능 장애가 있는 것도 아닌데 한사코 맞선을 안 보려고 하니 꽤 심란하셨나 보다.

16.

"너 혹시 남자 좋아하고 뭐 그런 거냐? 그 뭐라 카더라…. 게이라던 가 뭐 그런 거 있다 아이가?" 어느 날 어머니가 걱정 섞인 눈빛으로 내게 물었다. 그때 내 나이 서른 중반이었으니까 부모로서 뭐 그런 의심을 충분히 가질 만하셨을 것이다. 게다가 한사코 중매를 거부하는 모습이, 결혼을 못 하는 게 아니라 안 하는 것으로 어머니 눈에는 충분히 비추었을 테니까. 그래서 나는 순전히 어머니를 안심시키고자 하는 목적으로, 마음에도 없는 공약을 불쑥 내뱉고 말았다.

"올해까지만 좀 자유롭게 있다가 내년부터는 맞선 볼게요…." 그러자 어머니가 안심된 듯 싱긋이 웃으며 중얼거렸다. "게이는 아닌가 베…."

그리고 그해 말, 나는 해외영업부 과장으로 진급을 하면서 송년회 겸 승진 축하 자리를 가졌다. 하지만 마음 한쪽 구석은 무겁고 허전하기만 하였다. 회식이 끝나고, 부장이 사라지자, 뒤풀이로 나이트클럽으로 우르르 몰려갔다. 그곳에서 조용필이라는 명찰을 단 웨이터가 귓속말로 내게 뭐라 속삭이며 손짓으로 어떤 곳을 가리켰다. 나는 찢어질 듯한 소음과 현란한 조명 속에 눈을 가늘게 뜨고 쳐다봤지만, 어디를 말하는 건지 아리송하기만 하였다. 그러자 조용필이 답답했는지 나보고 따로 오라고 했다. 그는 별실같이 생긴 곳에 이르러 유리문을 공손히 열고는 나를 보면서 가장 중앙에 앉아 있는 여자를 가리켰다.

"저분이십니다." 내가 안으로 들어가자 쭉 둘러앉은 여자들이 환호성을 질러댔다. 나는 바짝 언 표정으로 우두커니 서 있었다. 그러자 중앙에 앉아 있던 여자가 벌떡 일어나더니 테이블 위를 성큼성큼 걸어서 내게 다가왔다.

"아저씨 결혼했어요?"

"아 아니 아직은…."

"그럼 됐어요. 춤추러 가시죠." 그녀는 내게 두 손을 내밀었다. 그리고 나는 나의 아폴로니아를 황홀한 표정으로 쳐다봤다.

17.

늦은 시각 극장을 나왔다. 밖은 이미 어둠이 내려앉았고 네온사인 불빛이 거리를 가득 메우고 있었다. 아침에 보았던 썰렁하고 낯선 풍경이 아니었다. 거리를 가득 메운 인파가 저마다의 표정과 모습으로 지나갔다. 외로움과 무서움이 찾아왔다. 나는 잠시 집으로 돌아갈까 하고 고민을 하다가 이내 발길을 친구 집으로 돌렸다. 친구는 학교 근처에서 혼자 자취를 하고 있었다. 그의 고향 마을은 낮에도 산짐승들이 어슬렁거리는 그야말로 깡촌이었다. 그는 초등학교 졸업과 동시에 도회지에 유학을 나왔다. 그가 마을을 떠나던 날, 동네 어르신들이 모두 나와 배웅을 하였다고 그는 우스갯소리로 자랑을 하곤 하였다. 그래 봤자 열 분도 안 되는 어르신들이었지만 말이다.

나는 큰맘 먹고 사이다 2병을 사 들고 그의 집을 기습 방문했다. 녀석도 심심하였는지 나를 보자마자 반갑게 맞이했다. 우리는 따끈따끈한 아랫목에 한 이불을 덮고 누운 채, 달콤한 사이다를 홀짝거리며, 이야기꽃을 피웠다. 나는 오늘 내가 보았던 잔혹한 미국 영화를 두서없이 읊조렸다. 그리고 선녀보다 몇십 배 더 이쁜 여주인공을 침이 마르게 찬양했다. 그러자 친구는 갑자기 뭔가 떠오른 듯 벌떡 일어나더니 구석에 수북이 쌓아 놓은 잡지들을 뒤지기 시작했다. 그러고는 <선데이 서울> 한 권을 집어 펼치더니 나에게 보여주었다.

그곳에는 영화 〈대부〉의 흑백 스틸 사진들이 쭉 실려 있었다. 잔인하고 음울한 사진들 사이에 마이클의 결혼사진이 눈에 들어왔다. 하얀 웨딩드레스와 하얀 부케를 든 신부는 신랑의 팔짱을 끼고 걷고 있었다. 그리고 뒤따른 신부 들러리들이 꽃잎을 그들 머리 위에 뿌리고 있었다. 나는 오늘 낮에 본 영화의 결혼식 장면들을 떠올리며 잠시 황홀감에 빠졌다. 그리고 녀석의 허락을 받아 그 사진을 가위로 오려내어 내 책가방에 넣어 두었다. 그러자 친구 녀석이 낄낄거리며 이 세상 최고의 여인을 보여주겠다며 그의 일기장에 스크랩해 둔 사진을 보여주었다. 나는 그 사진을 보며 입을 다물지 못했다. 가슴을 훤히 드러낸 채, 투명한 실크 망사와 부츠를 신고 앉아 있는 그 모습에 나는 눈을 뗄 수가 없었다.

"내 사랑 엠마누엘 부인이다. 인마!" 친구는 의기양양한 표정으로 내게 속삭였다. 그 순간 녀석이 무척 부러웠다.

버스 민폐녀

남킹 슬픈 이야기

남킹 컬렉션 #027

브런치 스토리

남킹 사랑 소설집

남킹 컬렉션 #028

당신의 뜻대로 7

18.

다음날 나는 다시 학교를 빼먹고 극장으로 달려갔다. 그리고 다시 영화에 빠지기 시작했다. 나는 이제 조금씩 <대부>가 이해되기 시작했다. 마치 사건의 실마리를 하나씩 하나씩 벗겨내면서, 마침내 범인의 행동을 이해하기 시작하는 탐정 같은 기분이 들었다. 그리고 점점 알아 갈수록, 나는 이 모든 끔찍한 행위들이, 결국에는 <패밀리>를 위한 것임을 어렴풋이 수긍하게 되었다. 악한에게도 가족의 사랑은 소중하다는 것을 느끼게 된 것이다.

하지만 나의 영화 탐험은 오후를 넘기지 못했다. 어머니와 누나가 나를 찾아온 것이다. 극장 복도에서 마주친 그들의 표정은 너무도 상반되어 있었다. 한없이 슬픈 표정의 어머니와 세상의 온갖 화를 다 품은 모습의 누나가 내 앞에 마주 선 것이다. 나는 누나의 무수한 꿀밤 세례를 피하고자 어머니의 품속으로 뛰어들었다. 어머니를 가운데 두고 한동안, 씩씩거리며 달려드는 누나를 요리조리 피해 다녀만 했다. 결국은 누나에게 한쪽 귀를 잡힌 채, 질질 끌려가며 극장 문을 빠져나왔다. 그리고 버스를 타고 집으로 가는 내내 나는 누나의 잔소리와 협박에 시달려야만 했다.

그렇게 나의 가출은 이틀 만에 끝을 맺었다.

하지만 나는, 동네 어귀에 이르러, 버스에서 내려 집으로 걸어가는 도중, 결사 항전을 결심했다. 이대로 더는 물러설 수 없다고 굳게 다짐을 한 것이다. 나는 전파상 앞에 이르러 걸음을 멈추고 버티기 시작했다. 나의 돌발 행동에 누나는 다시 씩씩거리며 득달같이 달려들기 시작했다. 나는 그녀를 피해 잽싸게 전파상 안으로 들어갔다. 의자에서 꾸벅꾸벅 졸던 아저씨가 화들짝 놀라며 벌떡 일어났다. 동시에 뒤따라 들어오던 누나는 아저씨를 보자마자 급히 다정다감한 표정으로 바꾸더니 아저씨에게 인사를 꾸벅하였다. 그리고 뒤이어 어머니가 들어왔다.

나는 아저씨에게 지난번에 주신 전단을 한 장만 달라고 했다. 그제야 사태를 파악한 아저씨는, 빙긋이 웃으며 한 묶음의 전단을 가져와 우리에게 골고루 한 장씩 나눠 주었다. 그리고 아저씨의 맛깔나는 제품 홍보가 시작되었다. 비로소 어머니와 누나는 내 가출의 이유를 인식하기 시작했다. 하지만 문제는 돈이었다. 우리 형편에 그

카세트 플레이어는 너무 비쌌다. 나는 이 세상에 가장 슬픈 표정으로 어머니를 쳐다봤고, 아저씨는 가장 현란한 말솜씨로 누나를 설득했다. 결국, 타협이 이루어졌다.

외상으로 물건 먼저 가져가고, 매달 얼마씩 갚기로 했다. 그리고 아주 오랜 시간이 흐른 뒤 안 사실이지만, 어머니는 며칠 뒤 일시금으로 제품값을 지급하였다. 어머니의 마지막 예물인 목걸이를 판 것이다. 누나는, 원망스럽게도 이 사실을 너무 늦게 내게 알려 주었다. 어머니가 돌아가시고 한참 뒤에 말이다.

19.

나는 그날 이후, 아저씨가 덤으로 준 2개의 공테이프에 좋아하는 팝
송들을 녹음하기 시작했다. 그런데 공테이프는 금방 채워졌다. 나는
이제 또 다른 장애물을 만난 것이다. 더 많은 공테이프가 필요한 것
이다. 나는 머리를 짜내어, 실로 다양하기 그지없는 여러 가지 방법
으로 돈을 모아 테이프를 사기 시작했다. 그렇게 나는 나의 청소년
시절 대부분을 팝송 듣기와 녹음으로 채웠다.

고등학교 졸업 무렵이 되자, 나의 다락방 한 면에는 헤아릴 수 없이
많은 카세트테이프가 쌓여 있었다. 나는 어느새 빌보드 차트 1위에
서 100위까지 모든 노래를 꿰고 있었다. 그야말로 70년대 팝송의
전문가가 되어 버렸다. 나는 그때, 어렴풋이 내 미래를 그려보곤 하
였는데, 아무리 생각해도 음악 외에 다른 직업은 생각조차 할 수 없
었다. 나는 수많은 관중 앞에서, 장발을 치렁치렁 흔들며 기타를 신
들린 듯이 연주하는 나를 꿈꾸고 있었다.

20.

안나는 피아노 학원을 아주 열심히 다녔다. 그녀는 학년이 올라갈수록 피아노 연습시간을 점점 늘려나갔다. 중학교 3학년이 되자, 안나의 귀가 시간은 거의 새벽 1시에 육박했다. 나는 야근이나 회식 등으로 늦게 퇴근을 하게 되면, 으레 피아노 학원으로 가서 문틈으로 그녀를 지켜보곤 하였다. 밤늦은 시간이라 선생들은 거의 없었으며 대여섯 명 정도의 여학생들이 각자의 피아노를 연습하는 모습이 자주 목격되었다. 어떤 때는 컵라면이나 피자 같은 먹을거리를 앞에 두고 빙 둘러앉아 재잘거리기도 하였다. 또 어떤 때는 가요를 반주하며 즐겁게 합창을 하기도 하였다.

어떤 모습이든 내 눈에는 흐뭇하지만, 한편으로는 안타깝게도 느껴졌다. 그러면 나는 1층으로 달려가 한 무더기의 빵을 사서 들이밀기도 하고, 어떤 때는 학원생 모두 데리고 분식집이나 편의점으로 갈 때도 있었다. 그러면 그들은 잠시나마 해방된 모습으로 깔깔거리며 입시에 짓눌린 가슴을 열어젖히곤 하였다. 그런 그들의 웃음 속에서 나는 슬픔을 느꼈다. 세상은 이제 풍요로워졌지만, 그들 앞에 놓인 치열하고 끝없는 경쟁은 그들이 감당하기에는 너무도 가혹해 보였다.

그즈음 아내의 고민도 깊어졌다. 안나의 진학 때문이었다. 너무 늦게 시작한 피아노가 문제였다. 지난달, 아내와 나는 학원에서 분기별로 실시하는 연주회에 다녀왔다. 그 연주회는, 그동안 갈고닦은 학원생들의 연주 실력을 부모들 앞에 시연함으로써, 일단 부모들을 안심시키고 또 적극적인 후원이나 홍보 효과를 끌어내기 위한 전략으로 보였다.

다소 신경질적인 그러나 예술적인 카리스마가 물씬 풍기는 학원장은, 아이들의 연주가 한 명씩 끝날 때마다, 짤막하게 감상평을 청중에게 말하였는데, 사실 대부분이 칭찬 일색이었다. 물론 약간의 단점을 안줏거리로 포함함으로써, 학원이 이 부분을 앞으로 중점적으로 개선할 것이고, 그러면 우리 아이는 완벽한 연주자로 거듭날 수 있을 것이라는 희망을 부모들에게 교묘하게 심어주곤 하였다.

안나의 연주가 끝났을 때도 예외 없이 칭찬이 쏟아졌다. 학원장은 눈을 지그시 감으며, 마치 감동한 듯한 표정으로, 안나의 뛰어난 음악적 감수성에 찬사를 보냈다. 물론 과장된 표현이라는 것을 알고는 있었지만 듣기에 참 좋았다. 사실 나도 그러한 느낌을 조금은 받기도 하였다. 다른 애들의 연주에서는 기교는 뛰어났으나 뭔가 기계적인 느낌이었다면 안나의 연주에서는 말할 수 없는 따뜻함이 묻어났기 때문이었다. 나는 학원장과 선생님들께 깊은 감사를 표하고 즐거운 마음으로 집으로 돌아왔다.

그런데 아내의 표정이 영 심상치 않았다. 아내는, 멋도 모르고 헤죽헤죽하는 나를 못마땅한 표정으로 쏘아 보더니 한숨을 쉬며 말을 했다.

"에구구 저 단순하기 이를 데 없는 양반아…. 음악적 감수성이 좋다는 말이 뭔 뜻인 줄 알우?"

"…"

"그건 말이야 테크닉이 그만큼 떨어진다는 것을 에둘러 하는 말이야……. 쯧쯧…. 저 불쌍한 양반하고는…."

"…"

"누가 귀한 집 자식 보고 실력이 떨어진다고 하겠어??? 그러니 그냥 감수성이 풍부하다 뭐 이런 식으로 둘러치는 거야."

듣고 보니 아내의 주장이 맞는 것 같기도 하였다. 그날부터 아내는 장고에 들어갔다. 피아노를 전공하여 예술고등학교에 진학하기에는 좀 실력이 부족해 보였고 일반 고등학교로 가자니 안나의 성적이 반에서 중간 정도밖에 되지 않아 대학 진학을 장담할 수 없었기 때문이었다. 이러지도 저러지도 못하는 상황이 되어 버린 것이다. 그렇게 한동안 고민하던 아내는 묘한 수를 들고 나왔다.

미국에 사는 나의 누이를 생각한 것이다. 아내는 몇 번 보지도 않았던 나의 누나에게 장거리 안부 전화를 뜬금없이 하고선 밑도 끝도 없이 안나의 유학을 알아봐 달라고 종용하는 거였다. 그렇게 몇 번 전화가 오고 가더니, 이번에는 미국 교환학생 프로그램을 알아보겠다며 강남의 모 유학원을 여러 차례 방문하는 거였다. 그렇게 점점 돌아가는 모양을 보니, 모녀가 미국으로 훌쩍 가버리고, 홀로 한국에 남은 나는 영락없이 기러기 아빠로 전락하는 절차였다. 뭔지 모를 위기감이 느껴졌다. 아내가 예전에 읊은 맹모삼천이 불현듯 다시 생각이 났다. 아내는 하나뿐인 딸을 위해 무슨 짓이든 할 사람같이 보였다.

하지만 나의 고민은 손쉽게 해결이 되었다. 독일에 있는 유럽 본사로 발령이 난 것이다. 이 소식을 아내에게 전하자 그녀는 뛸 듯이 기뻐했다. 두 모녀는 영어학원도 알아보고 있었는데 급작스레 독일어 학원으로 변경했다. 출국까지 남은 3개월 동안 독일어 기초라도 닦아야 한다며 부산하게 움직였다. 나도 대학 졸업 후, 거의 손 놓고 있던 독일어책을 다시 펼쳐 들었다.

나는 독일행을 운명처럼 느꼈다. 내가 그를 알고 나서 유럽 문학에 빠지고 독문학을 전공하고 이렇게 독일로 가게 된 것이 마치 하나의 예정된 수순으로 밖에 생각이 들지 않았다. 나는 독일에 가자마자 가장 먼저 쾰른에 들르기로 했다. 그의 거리를 꼭 한번 걸어 보고 싶었기 때문이다.

거짓과 상상
혹은
죄와 벌

남킹 장편소설

남킹 컬렉션 #002

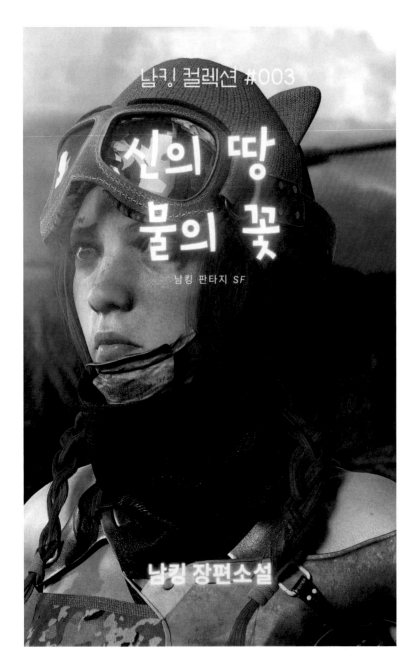

남킹 컬렉션 #003

신의 땅
불의 꽃

남킹 판타지 SF

남킹 장편소설

당신의 뜻대로 8

21.

독일에 온 지 7년이 된 그해 겨울, 나는 부장으로 승진하였고 안나는 쾰른 음대 2학년이 되었다. 그리고 회사는 <바이어 04 레버쿠젠> 축구 클럽과 스폰서 협약을 체결하였다. 레버쿠젠에는 당시 손흥민 선수가 소속되어 있었다. 11월 마지막 토요일, 우리 부서에서는 손흥민을 응원하기 위하여 단체로 레버쿠젠 구장인 <바이 아레나>를 방문하였다. 우리 직원들은 승합차를 임대하여 아침에 함께 이동하였고, 나는 오전에 볼일이 있는 관계로, 혼자 차를 몰고 늦게 레버쿠젠으로 향하였다.

레버쿠젠과 딸이 사는 쾰른은 가까이에 있다. 자동차로 넉넉하게 30분이면 닿는 거리다. 나는 본, 레버쿠젠, 뒤셀도르프 등 쾰른 가까운 지역으로 출장을 갈 때면 안나를 따로 만나 용돈도 쥐여 주고, 여유가 있을 때는 같이 저녁도 하곤 하였다. 하지만 그날은 안나가 프랑크푸르트에 이미 내려와 있었다. 그녀는 한 달에 한 번꼴로 집을 다녀가곤 하였다. 보통 금요일 밤에 내려와서 월요일 새벽에 올라갔다.

나는 레버쿠젠으로 뻗어 있는 3번 아우토반을 최대한 빠른 속도로 달렸다. 시속 200km 가까이 달릴 때도 있었다. 세월이 갈수록 자동차 속도가 점점 빨라지고 있다. 직업의 특성상 길에서 보내는 시간이 많은 만큼 차츰 운전에 익숙해지는 점도 분명 있을 것이다. 게다가 독일의 한산한 고속도로 상황도 한몫을 했을 것이다. 하지만 그 이면에는, 어쩌면 내 삶의 종착역이 가까워짐에 따라 시간을 허투루 보내고 싶지 않은 일종의 조바심이 더 크게 작용하는지도 모르겠다.

22.

경기 시작 한 시간 전에 가까스로 도착하였다. 하지만 경기장 주변을 눈을 씻고 찾아봐도 주차 공간을 찾기가 힘들었다. 나는 거의 세 바퀴째 주변을 맴돌다 자포자기 상태로 외곽 쪽 도로로 방향을 튼 뒤, 순전히 감으로 이곳저곳의 도로를 뒤지고 다녔다. 그러다 길가에 주차 표시가 흐릿한 한 곳을 마침 발견하게 되어 그곳에 주차하였다. 안도의 한숨을 쉬고 내려서 보니 경기장과도 그다지 멀지 않은 곳이었다. 운이 좋았다는 기쁨과 함께 순간적으로 불안감 - 좋은 자리인데 왜 비어 있을까 하는 - 을 지울 수 없었는데, 그것은 독일에서 터득한 일종의 지침 같은 것이다.

지침 : 다른 사람이 하지 않는 것에는 항상 이유가 있다. 예를 들면 이런 것이다. 대형 할인점에 세 개의 줄이 있다. 두 개의 줄에는 사람들이 길게 줄을 서서 기다리는데 한 곳은 사람이 아주 적다. 이유도 모른 채 짧은 줄에 섰다 간 낭패를 보기 십상이다. 그 줄은 계산대 직원의 근무 시간이 거의 임박한 곳으로 냉정하게 내 앞에서 잘라버리고 그는 가버린다. 나는 어안이 벙벙한 채 서성거린다. 그러면 친절한 독일 할머니가 다가와 설명을 한다. 여기 계산대 앞에 놓인 붉은색의 작은 팻말은 더는 손님을 받지 않겠다는 뜻이라는 것을.

그러므로 나는 좀 더 신중하게 주위를 살펴봤어야 했다. 하지만 그러기에는 시간이 촉박했다. 시합은 이제 30분도 남지 않았다. 경기장까지 걷고 입장 대기 한 뒤 내 자리를 찾는 것까지 고려하면 사실 시간이 부족하였다. 나는 어쩔 수 없이, 서둘러 사람들이 몰려가고 있는 곳으로 뛰어갔다. 대부분 행인은 레버쿠젠을 상징하는 붉은 유니폼을 착용하고 머플러를 목에 걸치거나 손에 매고 다녔다. 어떤 이들은 어깨동무를 한 채 크게 노래를 불렀으며, 또 어떤 이들은 맥주병이나 잔을 들고 구호를 외치기도 하였다. 조금 넓은 길로 들어서자 양편으로 맥주와 핫도그 가게 및 팬 가게들이 즐비하였다. 마치 우리네 시골 장터처럼 시끌벅적하였다. 조용하기 그지없는 유럽 생활에서 참으로 생소한 광경이었다.

23.

경기장 안에서 가까스로 나의 자리를 찾았을 때는 이미 시합은 진행되고 있었다. 먼저 와서 옆줄에 쭉 앉아 있던 동료 직원들이 나를 알아채고는 제각각 인사말을 하였는데, 축구장에 울려 퍼지는 소음이 너무 심해서 한마디도 알아들을 수 없었다. 스타디움은 그야말로 발 디딜 틈도 없을 정도로 관중들로 꽉 들어찼다. 인구 16만 정도의 레버쿠젠시 - 우리나라로 치면 경상북도 안동시 정도의 인구수 -에 3만을 수용하는 경기장을 가득 메울 정도면, 거의 이 동네 청장년층 셋 중의 한 명은 보러 왔다고 해도 과언이 아닌 것 같다. 독일인들의 축구 사랑에 감탄사가 절로 나왔다.

경기는 초반부터 박진감이 넘쳤다. 원정팀인 FC 뉘른베르크를 레버쿠젠 선수들이 초반부터 거세게 몰아붙였다. 홈 팬들의 뜨거운 함성이 하늘을 찌르는 듯 쏟아졌다. 키 패스가 연결되거나 슈팅이 나오면 관중들은 너나 할 것 없이 벌떡 일어나 손뼉을 치고 구호를 외쳤다. 그동안 어디에서도 볼 수 없었던 독일인들의 광적인 모습이 참으로 흥미롭게 느껴졌다.

나의 시선은 자연스럽게 공을 따라가다가 어느새 한 한국인 선수에게 쏠리곤 하였다. 우리 동료들도 다르지 않은 것 같았다. 손흥민이 공을 터치하거나 패스 혹은 드리블할 때면, 직원들 사이에서 과도한 액션이나 함성이 터져 나왔다. 그러다 전반 35분경 손흥민 선수의 첫 골이 터졌다. 우리는 모두 벌떡 일어나 서로 껴안고 함성을 지르며 폴짝폴짝 뛰었다. 순간 관중석의 진동이 진하게 느껴졌다. 전광판에는 'Tor'라는 큰 글자가 번쩍거렸고 옆에는 손흥민 사진이 게재되었다. 그리고 장내 아나운서가 큰 소리로 '흥민' 하고 외치자 모든 관중이 '쏜' 하고 따라 외쳤다. 감동적인 순간이었다. 그리고 그 감동의 순간은 후반전에 다시 한번 터졌다.

손흥민이 두 번째 골을 넣은 것이다. 축구의 나라 한복판에서 독일인들이 한국인 청년의 이름을 소리 높여 외치는 모습에서, 나는 형언할 수 없는 자부심을 느끼고 말았다. 더욱이 레버쿠젠 유니폼에는 한국 회사 로고가 박혀 있었다. 30년 전 바로 이곳에서 선수 생활을 하던 한 한국인의 일화가 떠올랐다. 그는 연습이 끝나면 아내와 함께 어떤 특정 장소를 여러 번 방문하였다. 그곳에는 선간판이 세워져 있었는데 한국 회사의 광고였다. 독일에서 그가 본 유일한 한국 회사 광고였다고 한다.

결국, 그날 레버쿠젠이 3 대 0으로 이겼다. 돌아가는 홈 팬들의 발걸음이 기쁨으로 흥청거렸다. 여기저기서 합창이 이어졌고 우리 일행을 보고 엄지를 척 내밀며 반가움을 전하는 외국인들도 있었다. 축구로 주위의 행인들이 형제가 된 기분이었다. 회사 동료들은 이 기쁨을 이어갈 뒤풀이를 모의하더니 모두 뒤셀도르프 시내로 떠났다. 나는 개인 사정을 핑계로 집으로 돌아갈 작정이었다. 한 달 만에 보게 되는 딸과 함께 하는 저녁 식사가 더 기대되었기 때문이다.

남킹 컬렉션 #011

1월의 비

남킹 감성 소설집

당신의 뜻대로 9

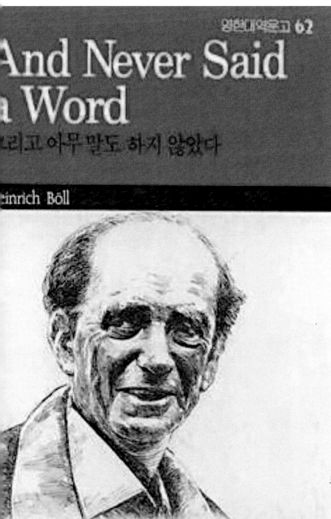

24.

그런데 기우가 현실이 되었다. 내 차가 사라진 것이다. 처음엔 내가
주차 장소를 착각하는 줄로 생각하고 주변 일대를 서성거리며 돌아
다녔다. 특징 없는 주택가가 이어진 곳이라 어디를 둘러봐도 비슷하
였고 영 낯설기만 하였다. 결국, 다시 원점으로 돌아왔다. 나는 기억
을 최대한 짜내어, 이곳에 그려진 흐릿한 주차 표시가, 내가 주차한
곳이라는 확신을 하게 되었다. 그러자 막막한 기분이 들기 시작했다.
그도 그럴 것이 견인하였다는 아무런 표시가 없었다. 주위를 샅샅이
둘러보았지만 어떤 단서도 발견할 수 없었다.

어느덧 해도 기울어 사방은 어둑어둑하였다. 나는 일단 뒤셀도르프
로 떠난 직원 중 한 명에게 다급하게 전화를 했다. 다행히 승합차가
출발한 지 얼마 되지 않았던 그들은 수 분 내에 돌아왔다. 그리고
우리는 경기장 근처에서 안내하는 경찰관에게 다가가 내가 처한 상
황을 설명하였다. 그러자 그는 안타까운 표정과 함께 메모지에 견인
차량보관소 주소를 적어 주었다. 우리는 차량 내비게이션에 주소를

입력해 보았다. 다행히 10km 미만으로 나왔다.

우리 일행은 서둘러 그곳으로 달려갔다. 가던 중, 나는 혹시나 차량 보관소가 문을 닫았으면 어떡하나 하는 걱정을 토로하였다. 그러자 프랑크푸르트에서 견인 당한 경험이 있는 한 직원이 새벽에 차를 찾아왔다며 나를 안심시켰다. 하지만 도착해서 보니 사무실의 모든 불이 꺼져 있었다. 노란 비상등과 가로등만 외롭게 켜져 있었다. 난처함이 몰려왔다.

나는 사무실 옆 마당 입구에 있는 철문 틈새로 얼굴을 들이밀어 내 차의 유무를 일단 확인해 보았다. 희미한 조명 아래 대여섯 대의 차량이 눈에 들어왔다. 하지만 눈으로 확인하기에는 너무 어두웠다. 나는 할 수 없이 자동차 리모컨 키를 꺼내어 열림 버튼을 눌러 봤다. 그러자 입구 가까이에 있던 차량이 번쩍번쩍했다. 일단 내 차를 확인하니 안심이 되었다. 하지만 다음을 어떻게 해야 할지 고민이 되기 시작했다. 독일에서의 나의 경험상, 지금 차량보관소가 문을 닫았다는 것은 주말 내도록 열지 않는다는 것과 같은 의미였다. 즉, 월요일 오전이 되어야 자동차를 찾을 수 있다는 뜻이다. 그러면 적어도 이틀 밤을 이곳에 머물러야 한다는 말이다. 아니면 지금 직장 동료들과 함께 프랑크푸르트로 내려갔다가 월요일 새벽에 대중교통으로 다시 올라와야 한다. 어느 것을 하든 귀찮고 짜증 나는 일이었다. 게

다가 나는 이 결정을 심사숙고할 시간적 여유조차 없다. 바로 지금 내 앞에는 8명의 직장 동료가, 나 때문에 지연된 금요일 밤의 유흥을 재개하기를 갈망하는 눈빛으로, 나만 멀뚱멀뚱 쳐다보고 있지 않은가!

나는 일단 아내에게 전화해서 지금의 난처한 상황을 토로했다. 그러자 아내 옆에서 듣고 있던 안나가 쾰른에 있는 자기 기숙사 아파트를 이용하는 게 어떻겠냐고 제안을 하였다. 방 열쇠는 관리실에 여유분이 있으며, 안나가 미리 관리원에게 양해 전화를 드려 놓겠다고 하였다. 생각해보니, 적지 않은 견인비와 추가 벌금 및 벌점이 예상되는데 거기 다가 이틀 동안의 호텔비까지 지출해야 한다면 너무 속이 쓰릴 것 같았다. 게다가 나 때문에 우리 직원들의 귀한 주말 밤을 이렇게 망치고 있는데, 아무런 감사의 표시도 하지 않는다면, 상사로서 너무 매정하지 않겠는가? 그래서 나는 안나의 방을 이용하기로 하고, 지급하지 않아도 될 호텔비로 우리 직원들에게 근사한 저녁을 사기로 마음을 먹었다.

25.

쾰른 시내의 한 한국 식당에서 우리는 저녁을 함께하였다. 그리고 안나의 기숙사 앞에서 직원들과 헤어졌다. 그들은 다시 애초에 예정했던 뒤셀도르프로 떠났다. 나는 아파트 1층 로비에 있는 관리 사무실로 다가가 청년으로 보이는 관리원에게 나의 신분을 밝혔다. 그러자 그는 안나에게서 이미 연락을 받았다며 선뜻 방 열쇠를 내게 건네주었다. 안나의 기숙사 방은 35층 아파트의 32층에 있다. 높은 건물을 찾기 힘든 유럽에서 특이하게 높은 아파트다. 그래서 눈에 잘 띈다. 처음 이곳을 찾은 때는 안나가 대학에 입학하기 며칠 전이었는데 쾰른 시내에 들어서자마자 이 고층의 아파트가 눈에 탁 들어왔다. "집 잃어버릴 염려는 없겠네…." 아내의 첫 소감이었다.

안나의 방은 채 4평이 되지 않아 보였다. 마치 홍콩의 유명한 <닭장아파트>를 보는 기분이었다. 책상과 싱글 침대가 거의 맞닿아 있으며, 세 발자국만 가면 간이 싱크대가 있고, 그 바로 옆에 화장실과 세면대가 붙어있다. 우리 가족 세 명이 침대와 의자에 나란히 앉으니 내부 공간이 꽉 찬 느낌이었다. "친구 초청할 일은 없겠구먼…." 아내의 두 번째 소감이었다.

나는 문을 조심스레 열고는 실내조명 스위치를 찾아서 켰다. 실내는 예상외로 후끈후끈하였다. 난방비가 비싸기로 악명 높은 독일에서 경험하기 힘든 사치임이 틀림없다. 나는 베란다 쪽으로 가서 창문을 살짝 열었다. 시원한 밤공기가 상쾌하게 들어왔다. 나는 창가에 서서 한동안 쾰른 시내의 야경을 감상했다. 저 멀리, 라인강을 가로지르는 노란 조명의 <호엔촐레른 철교>가 보이고, 다리가 끝나는 지점에 백색 조명으로 치장한, 두 개의 탑이 우뚝 솟은, 거대하기 이를 때 없는 쾰른 대성당이 눈에 들어왔다. 그리고 불을 환하게 밝힌 유람선들이 천천히 강물에 자국을 남기며 저마다의 길을 가고 있었다. 평화롭고 안온한 모습이었다.

그 편안한 광경 속에서 나는 한 사람을 생각하고 있었다. 쾰른에 올 때면 언제나 그 사람을 가슴에 담아 두곤 한다. 바로 쾰른에서 나고 자란 소설가 <하인리히 뷜>이다. 심지어 유럽 본사가 있는 독일로 발령을 받는 순간, 나는 그를 가장 먼저 떠올렸다. 마치 숙명처럼 느껴졌다. 언젠가 그가 걸었던 거리, 그가 올려 다 보았을 대성당을 나도 걷고 보게 되리라는 것을….

그는 나의 삶을 바꾸었다.

26.

입대를 앞둔 그 시절, 나는 연거푸 대학 입학에 실패하였다. 그리고
우리 가족은 흩어졌다. 아버지는 부동산 사기에 연루되어 도망자 신
세였고, 누나는 교환학생 핑계로, 미국으로 도망치듯 가더니 연락 두
절이었으며, 어머니는 이모 집에 얹혀살았다. 어머니보다 여섯 살 어
린 이모는 시장에서 청과물 가게를 하였다. 맞은편에는 이모부의 어
묵 가게가 있었다. 어머니는 착한 이모의 도움으로, 가게 한쪽 구석

자리를 얻어 채소를 팔며 근근이 살았다.

나는 삼촌의 도움을 받았다. 삼촌은 지방의 한 국립대학 정문 근처에서 식당을 운영하고 있었다. 그 식당은, 낮에는 분식점이었지만 저녁에는 주점을 겸하였다. 나는 낮에는 입시 학원에 다니고 밤에는 식당 서빙을 새벽 2시까지 하는 고단한 삶을 살았다. 하지만 이마저도 감지덕지해야 할 형편이었다. 부모로부터의 재정적 지원은 오래전에 끊어진 상태였다. 내가 기댈 언덕은 여기뿐이었다. 그리고 내가 대학을 들어갈 방법은, 누나처럼, 수석 입학으로 전액 장학금을 받던가, 아니면 바로 이곳 국립대에 들어가서 삼촌 일을 거들며 학비를 버는 것뿐이었다. 물론 전자의 방법은 내 실력에 불가능에 가깝다.

나는 음악에 미쳤기 때문이다. 사실 대학을 가려는 이유도, 그때 당시 한창 인기가 있었던 대학 가요제에 참가하기 위함이었다. 나는 늘 무대 위에 서서, 반주에 맞추어 고개를 격렬하게 위아래로 흔들며 열창하는 모습을 상상하곤 하였다. 그래서 처음에는 입시 학원 종합반으로 다니다가 단과반으로 몰래 옮기고 남는 시간에는 기타 학원을 수강하였다. 그리고 이 사실은 절대 비밀이었다. 왜냐하면, 어머니의 표현을 빌자면, 하나뿐인 아들이 딴따라가 된다는 것을 절대로 받아들일 수 없었기 때문이다. 나를 삼촌에게 맡기면서 몇 번이고 강조한 부분이었다. 하지만 삼촌이 살뜰하게 나를 챙기거나 꼼꼼하게 감시할 리는 만무한 일이었다. 나는 비교적 자유롭게 두 개의 학원을 마치고 제시간에 맞추어 식당에만 나타나면 그만이었다.

남킹 컬렉션 #013

남킹의 문장 2

언어의 마법사 남킹의 문장들

남킹 판타지 소설집

하니은 매화

남킹 컬렉션 #015

당신의 뜻대로 10

27.

나는 식당에서 일할 때를 제외하고는 온종일 헤드셋을 끼고 살았다. 나는 그때, <하드락>과 <헤비메탈>에 심취해 있었다. 그리고 고막이 찢어질 정도의 높은 볼륨을 유지했다. 나는 일렉트릭 기타의 거칠게 긁어 대는 날 선 사운드와 마치 모든 것을 부숴버릴 듯이 두드려 대는 드럼 연주, 괴성을 질러 대는 보컬, 전신을 파고드는 신시사이저가 어우러져 쏟아내는 폭발음에 사로잡혀 있었다. 나는 열광했고 그 열광 속에 암울한 현재를 잊었고 막연한 미래를 환영으로 바꾸고 있었다.

나는 <딥 퍼플(Deep Purple)> <레드 제플린(Red Zeppelin)> <주다스 프리스트(Judas Priest)> <블랙 사바스(Black Sabbath)> <레인보(Rainbow)> <AC/DC> <레너드 스키너드(Lynyrd Skynyrd)> <퀸(Queen)> <스위트(Sweet)> 의 히트곡들을 줄줄이 꿰고 다녔다. 이 중에서 특히 <주다스 프리스트>와 <블랙 사바스>를 가장 좋아하였다. 이 두 헤비메탈 밴드는 묘하게도, 당시에 몰락의 길을 걷고 있던 공업도시인 영국 버밍엄 출신이라는 공통점이 있었다. 그들이 밴드를 만들어 음악적인 성공을 거두지 못한다면 그들은 평생 먼지 가득한 공장지대에서 노동자로 살아야 하는 운명이다. 그래서 그런지 그들의 음악 속에는 암울함이 배여 있었다. 그 속에는 소외, 반항, 가난, 불행, 절망 그리고 나약함 같은, 지금의 나를 특징짓는 요소와 너무도 닮아 보였다. 나는 사랑의 기쁨보다는 실연의 상실감을 매일 주문처럼 읊조리고 다녔다.

나는 <블랙 사바스>의 She's gone을 귀가 닳도록 들었다.
......
The endless hours of heartache, waiting for you
당신을 기다리는 끝없는 슬픔의 시간
My summer love has turned to rain, all the pain
내 여름의 사랑은 고통으로 바뀌었네
The silent emptiness of one sided love
짝사랑의 공허함이여
....
나는 또, <주다스 프리스트>의 Before the Dawn을 즐겨 들었다.
....
It's been a lifetime
한평생을 보냈죠
Since I found someone

누군가를 찾아낸 이후

Since I found someone who would stay

그는 내 곁에 있어 줄 줄 알았는데

I've waited too long

너무 오래 기다렸죠

And now you're leaving

이제 당신은 떠나려고 하네요.

Oh please don't take it all away

제발 내게서 모든 걸 가져가지 말아요

.....

28.

그러나 나의 이중 학원 생활 - 입시 학원과 기타 학원 - 은 대학 입
시 실패와 함께 마감하고 말았다. 입영 통지서가 날아온 것이다. 나

는 결국 자포자기의 심정으로 하루하루를 무의미하게 채우고만 다니게 되었다. 사실, 애초에 두 마리의 토끼를 잡겠다는 발상 자체가 무리수였다. 대학 입시에만 매달려도 겨우 들어갈까 말까 한 실력에 기타 연습과 식당 아르바이트까지 하였으니 애당초 실패는 예견되어 있던 거나 마찬가지였다.

더욱이 기타를 배우면서 나는 또 하나의 난관에 봉착하고 말았다. 악기를 배운다는 게 생각만큼 호락호락하지 않다는 것을 깨달은 것이다. 배우고 싶은 것을 한다는, 초기의 설렘과 호기심의 단계가 지나가자 고통이 찾아왔다. 기타 코드는 점점 어려워지고 악보는 더욱 복잡해졌다. 복습이 필요하였지만, 시간도 없을뿐더러 드러내 놓고 할 수 없는 비밀이 아니던가. 그러자 다른 수강생들에게 뒤처지기 시작했다. 시간이 갈수록 간격은 점점 더 벌어졌고, 나는 의기소침해졌으며 회의감이 몰려왔다.

나는 나의 음악적 재능이 의심되었다. 아니, 애초에 재능이라는 것 자체가 없었던 것처럼 느껴졌다. 나는 단순히 음악을 <좋아한다는 것>과 음악을 <한다는 것>에는 근본적으로 괴리가 있다는 것을 깨닫기 시작했다. 나는 인기 록 밴드들의 화려한 퍼포먼스와 삶에 고무되어 그 이면을 미처 보지 못하였다. 그들이 대중 앞에 서기 위해 흘려야만 했던 땀방울과 인내의 세월을 깨닫지 못한 것이다. 결국,

나는 기타 학원을 그만두었다. 그리고 입시 학원까지 그만둔 나는 삼촌네 가게에서 종일 시간을 보내며 입대 날을 두려움으로 맞이하고 있었다.

그러던 어느 날 늦은 오후, 나는 식당 홀에 혼자 앉아 무언가를 작성하고 있는 학생을 발견하였다. 다가가서 살펴보니 <공군 입대 지원서>였다. 나는 호기심으로 그에게 지원동기를 물어봤다. 그러자 그는 타 군보다 공군이 편하다고 했다. 나는 그의 말에 솔깃하여 꼬치꼬치 캐묻기 시작했다. 그는 친절하게도 그가 알아낸 공군에 관한 이야기를 내게 자세하게 들려주었다. 그리고 우리는 다음날 사이좋게 같이 지원서를 제출하였고 신체검사와 필기시험도 같이 봤다. 하지만 아쉽게도 나만 합격하였다.

그는 충치가 너무 많아 신체검사에서 그만 떨어지고 만 것이다. 그러나 나는 그를 대전에 있는 신병 훈련소에서 다시 보게 되었다. 훈련소 생활 한 달째 되던 날, 우리 다음 기수로 들어온 신병들 틈에서 그를 본 것이다. 나와 눈이 마주친 그는, 교관의 눈치를 살피면서, 배시시 웃으며 반가움을 표시했다. 그러자 그의 벌어진 입에서 유난히 새하얀 이빨들이 반짝거렸다. 나중에 안 사실이지만, 신체검사에서 떨어진 그는, 다음날 당장 치과에 달려가서 모든 충치를 치료하고 심지어 미백 치료까지 받았다고 하였다. 그 이후, 우리는 바쁘고 고달프기 그지없는 훈련소 생활이었지만 틈만 나면 만나서 여러 가지 이야기를 나누었다. 이번에는 상황이 역전되어, 한 달 나중에 입소한 그가 주로 묻고 나는 주로 답변을 하였다. 하지만 그와의 인연은 훈련소를 끝으로 더는 이어지지 않았다.

29.

기초 군사 훈련이 마무리될 때쯤, 훈련병들은 영어를 포함한 몇 가지 시험을 더 치러야만 했다. 이번 시험은 특기생을 선별하기 위한 것이었다. 공군 특성상 영어가 필요한 분야가 꽤 있었다. 그중에 훈련병들에게 아주 인기가 많았던 게 <항공 통제> 특기였다. 쉽게 말해 레이더 기지에서 근무하는 것인데, 대부분 산속에 위치하였으므로 <산신령>이라는 애칭으로 불렸다. 24시간 교대 근무를 하지만 비교적 자유시간과 외출, 외박이 잦았고 내무 생활의 강도도 약하다는 소문이 훈련병들 사이에서 떠돌았다. 즉, 1순위 특기였다.

반면에 <항공기 정비> 특기는 훈련병들의 기피 대상 중 하나였다. 항공기 정비는 조종사의 생명과 직결되는 사항이므로, 육체적인 노동의 강도도 강하지만 무엇보다도 정신적인 압박도 심하다는 것이었다. 즉, 군기가 세다는 것이다. 그런데 이 두 특기의 공통점은 영어 점수가 좋아야 한다는 것이다.

그런데 나의 영어 점수가 좋았다. 아무래도 중학생 시절부터 줄곧 팝송에 미쳤던 게, 시간 낭비만은 아닌 것 같았다. 나는 대부분 대학생인 훈련병 중에 고졸 출신인 내가 영어 성적 우수자가 된 것이 놀랍기도 하거니와 끝없이 추락하기만 하는 자신을 보듬어 줄 약간의 자부심마저 느끼게 되었다. 나는 그때 아마 어렴풋이 내 미래의 청사진에 영어를 포함해야겠다고 느꼈는지도 모르겠다.

아무튼, 나를 포함한 몇몇 영어 성적 우수 병들은 따로 특기 적성 검사라는 것을 보게 되었다. 이 검사는 항공 통제 특기생을 선별하기 위한 것이었다. 그런데 검사 도중, 한 곳에서 문제가 생기고 말았다. 헤드폰을 끼고, 레이더에서 흘러나오는 삐삐 같은 음향이 나는 쪽 손을 드는 거였는데 아무리 집중해도 소리가 들리지 않았다. 그동안 높은 볼륨의 헤비메탈에 길든 나의 불쌍한 고막은 삐삐 같은 낮은음에는 미동도 하지 않는 것이었다. 결국, 탈락한 나는, 훈련병들이 꺼리는 <항공기 기체 정비> 특기를 부여받고 말았다.

그리고 이듬해 봄, 나는 남쪽으로 향하는 군용열차에 동기병들과 함께 몸을 실었다. 기차가 도착하는 역마다 불리는 동료들이 아쉬운 작별 인사와 함께 내렸다. 하지만 나는 끝까지 호출되지 않았다. 결국, 부산역까지 왔다. 마지막까지 남은 몇몇 동료들은 안도의 한숨을 내쉬었다. 이곳은 전투 부대가 아니라 수송 부대였기 때문이다. 즉, 좀 더 편하게 지낼 수 있다는 뜻이다.

남킹 컬렉션 #017

스네이크 아일랜드

1권
죽고싶지만 복수는 하고 싶어

남킹 판타지 스릴러

남킹 컬렉션 #018

천일의 여황제

세빈의 남자

남킹 판타지 소설

당신의 뜻대로 11

30.

그렇게 나는 김해 공항 활주로가 끝없이 펼쳐진 곳에서, 뚱뚱하기 이를 데 없는 수송기와 단순하기 그지없는 헬리콥터를 정비하며 30개월이 넘는 자대 생활을 시작하였다. 나는 동기 3명과 함께 검사 중대에 배정되었으며 내가 맡은 구역은 라이트 윙이었다. 즉, 일정한 시간이 지나간 수송기를 대상으로 각종 검사와 수리, 세척을 하게 되는데, 나는 오른쪽 날개를 전적으로 담당한 것이다.

나는 비행기 날개가 대부분 연료 탱크로 사용된다는 사실을 그때 처음 알았다. 그러므로 내가 하는 주 업무는, 날개에 수없이 박혀 있는 볼트나 너트 틈새로 연료가 새는지를 점검하여, 만약 새는 곳이 발견되면 누유 방지제를 묻혀서 다시 조여주는 일이다. 기름이 샌 흔적은 비교적 쉽게 발견이 되었다. 왜냐하면, 누유된 곳 주위에는 보라색 얼룩이 남아있기 때문이다. 원래 수송기 연료는 휘발성이 아주 강한 투명한 액체인데 구분을 쉽게 하도록 보라색 염료를 살짝 섞어 준다고 하였다.

나는 수송기 날개 위에 올라가서 작업할 때도 종종 있었다. 처음 올라갔을 때는, 마치 바람 부는 마천루 꼭대기에 있는 것처럼 불안에 떨며, 거의 엉금엉금 기다시피 하며 작업을 하였다. 바닥이 생각보다 엄청 미끄러운 데다 날개 끝으로 갈수록 흔들림이 점점 심했기 때문이었다. 하지만 일 년쯤 지나자 나는 놀이터처럼 날개 위를 뛰어다녔고, 햇볕이 따뜻하게 내리쬐는 날에는 가끔 그 위에서 낮잠을 즐기기도 하였다. 어느새 나는 자동차 정비 공장에서나 봄 직한 모습의 정비사가 되어 있었다. 기름때로 까맣게 얼룩진 정비복을 거리낌 없이 걸치고 다녔으며, 손톱이나 코밑이 시커먼 상태에서도 즐겁게 식사를 마쳤다.

31.

그렇게 세월이 흘러, 나는 영원히 오지 않을 것 같던 전역을 1년 정도 앞두게 되었다. 병장으로 진급한 지도 벌써 몇 개월이 지났다. 그동안 어머니가 한번 다녀갔다. 사실 매월 한 번꼴로 외박을 하였기에 그다지 면회의 필요성을 느끼지 못하였다. 아버지는 결국 도피 생활을 마감하고, 자수하여 6개월 정도 교도소 복역을 하고 특사로 풀려났다. 그러고 나서 일자리를 찾고 있다고 하는데 뜻대로 잘되지 않아 보였다. 누나는 여전히 미국에서 일과 학업을 병행하며 고군분투한다고 했다.

나의 보급품 함 벽에는 기타리스트인 <리치 블랙모어>의 연주 사진과 함께 누나의 사진이 한 장 붙어있다. 어머니가 면회 와서 주고 간 것이다. 그녀는 멀리 자유의 여신상이 보이는 곳을 배경으로 활짝 웃고 있다. 그리고 사진 뒷면에 <뉴욕 브루클린 브릿지에서>라고 적혀 있다. 나는 그 사진을 볼 때마다 누나의 자유로움과 동시에 강한 의지를 느꼈다. 나에겐 그다지 찾아볼 수 없는 덕목이었다.

동네 사람들은, 언제나 <그 누나의 동생>으로 나를 지칭했다.
"쟤가 바로 이번에 전교 1등 한 송가네 딸 있잖아. 걔의 동생 인디. 성적이 형편없다네."

"쟈가 바로 이번에 서울대 들어간 송가네 딸내미 동생 인디……. 대학도 못 가고 놀고 있다는데……. 글씨..."

"에구구 둘이 바꿔 나왔으면 좋았을 텐데……."

"그러게 말이여"

엎어지면 코 닿을 만큼 작은 동네에서 누나는 유명인사였고 나는 천덕꾸러기 신세였다. 어디를 가나 나를 대하는 어른들의 궁금증은 누나에 관한 것이었다.

"너거 누나 이번에도 일등했제?"

"너거 누나 법대 간다냐 의대 간다냐?"

"니는 언젠가는 너거 누나 덕 좀 볼끼다. 누나 말 잘 듣고 있제?"

학교 선생님도 예외는 아니었다. "니가 송은정이 동생 맞나? 에구 니 많이 노력해야겠다. 우찌 이래 너거 누나하고 다르노?"

그렇게 나의 청소년 시절은 누나의 그늘에 가려진 흐릿한 정체성으로만 존재하였다. 그러나 그렇다고 해서 누나에게 적대감이나 불평불만을 가진다는 의미는 아니었다. 무슨 일이든 사려 깊고 현명한 판단을 내리고, 어떤 난관에도 끈기로 차근히 풀어나가는 그녀의 모습에, 나는 시간이 가면 갈수록 더 의존적으로 변해갔다. 그리고 무능한 아버지로 인해 그 의존성은 더 심화하였을 것이다. 어쩌면 우리 가족 모두가 누나만 바라보았는지도 모르겠다. 하지만 그녀는 홀연히 떠나 버렸고, 구심점이 사라지자 가족의 끈이 끊어져 버렸다.

32.

나는 그즈음 많아진 시간만큼 고민도 깊어졌다. 1년 뒤면 사회로 환원되어야 하는데 어느 것 하나 자신이 생기지 않았다. 좋아하는 음악을 하자니 나의 재능과 의지에 의심이 들었으며, 대학 입시 공부를 다시 하자니 자신도 없거니와 설령 입학하더라도 등록금을 벌 자신이 생기지 않았다. 게다가 든든한 버팀목이 되어 줄 누나는 손 닿을 수 없는 곳에 있지 않은가! 설령 닿더라도 누나 또한 홀로서기에 힘든 시간을 보낼 텐데 거기에 손 벌릴 염치는 더더욱 생기지 않았다.

나는 하루의 일과가 끝나면 무거운 어깨를 짊어지고, 내무반 끝에 마련된 독서실에 처박혀 동기들과 바둑이나 장기를 두며 시간을 보내곤 하였다. 독서실 복도 맞은편에는 제법 큰 TV와 카펫이 깔린 휴게실도 있었다. 한때는 그곳에서 TV를 보며 휴식을 취하곤 하였는데, 비록 병장이지만 TV 채널을 내 마음대로 돌리기에는 선임들이 너무 많았고, 또 바둑에 재미를 들이면서 자연히 자리를 독서실로 옮기게 되었다. 독서실 한쪽 벽면 전체에는 크고 작은 서적들이 빼곡히 꽂혀 있는데, 모두 전국 각지에서 기증받은 것들이었다. 그중 대부분 책은 소설이나 잡지였고, 입구 쪽에는 따로 고등학교 교과서나 참고서들이 마련되어 있었다.

독서실에는 고정 회원이 서너 명 있었는데 그들 모두 대학 입시를 준비하고 있었다. 나처럼 고졸 출신도 있고 전공을 바꾸려는 대학생들도 있었다. 처음에는 나도 그들을 따라 교과서나 참고서를 펼쳐 놓고는 하였는데 마음만 심란하여 책을 덮고 말았다. 목표가 흐릿한데 글이 눈에 들어올 리 만무하였다. 나는 그때 거의 자포자기의 심정이었다. 나는 내게 가난을 물려준 부모를 원망했고 무정하게 떠난 누이를 저주하였으며 내 앞에 놓인 참담한 미래에 좌절하고 있었다. 차라리 군에 몸담은 이 순간이 영원히 지속하였으면 하고 바랄 때도 있었다.

33.

그러던 어느 날, 매년 실시되는 <팀 스피릿> 훈련이 시작되었다. 주한 미군과의 합동 군사 훈련이 시작된 것이다. 갑자기 주위의 사람들이 부산해지기 시작했다. 하지만 나는 이미 경험하였으므로 오히려 차분한 상태였다. 사실 약간의 기대도 하고 있었다. 왜냐하면, 미군들이 머물다 떠난 자리에는 흥미로운 것들이 남아있기 때문이다. 임시 막사 자국이 선명한, 내무반 옆 공터 한쪽 구석에 수북이 쌓아 놓은 버려진 잡동사니 속에서, 우리는 거의 손도 대지 않은 맥주 캔을 상자째로 발견하거나 개봉도 하지 않은 담뱃갑을 몇 보루나 손쉽게 찾기도 하였다. 더욱이 내무반원들에게 가장 인기가 좋은 성인용 잡지들도 부지기수로 주웠다. 우리는 이렇게 손쉽게 얻은 전리품들을, 간부들의 눈을 피해 가며, 계급순으로 돌아가며 누리곤 하였다.

훈련의 처음은, 언제나 우리 것보다 몇 배나 더 크고 뚱뚱한 미군 수송기들이 굉음을 내며 줄줄이 활주로에 등장하는 것부터 시작되었다. 그들의 비행기는 거대하기가 이를 데가 없었다. 그 속에서 탱크나 장갑차들이 연이어 쏟아져 나왔다. 하루는, 이 광경을 지켜보면서 동료들과 내기를 한 적이 있었다. 저 수송기에서 과연 몇 대의 차량이 나올까 하는 거였다. 우리는 한 수송기에서 나오는 군사 장비의 수를 10까지 세고는 멈춘 채 놀라움으로 멍하니 쳐다보기만 하였다. 우리가 제시한 가장 큰 숫자는 고작 여섯이었기 때문이다. 게다가 아직도 적지 않은 장비들이 기내에 남아있었다.

훈련 기간에는 정비 업무가 생략된다. 그 대신 대부분을 필드에서 보내게 된다. 내가 하는 가장 주요한 업무는 항공기 주유였다. 나는 쉴 새 없이 뜨고 내리는 수송기들을 수신호로 안전하게 지정된 구획에 유도한 뒤, 바퀴 앞뒤에 노란 버팀목을 넣어 고정하고, 주유 차량을 불러서 주입구 마개를 따고 기름을 가득 채웠다. 항공기 유는, 상온에서는 가스 상태의 휘발성이 강한 기름으로, 주유하는 동안, 우리는 올라오는 가스에 취해 대부분 해롱해롱한 상태였다. 실없이 웃음이 터지기도 하였고 어떤 때는 주유를 마치고도 주입구 마개를 닫는 것을 잊어버려 상관에게 혼이 나기도 하였다.

연료를 주입하는 동안 나는, 되도록 가스를 흡입하지 않기 위하여,

목을 길게 빼고는 바람이 부는 방향으로 고개를 돌리고, 시선은 하늘과 맞닿은 지평선을 향하고는 하였다. 그런데도 대기 속으로 빠르게 흩어지는 가스 일부는 내 코로 잠입하여 나의 시상하부에 영향을 미치고 감성계에 자극을 주는 거였다. 그러면 나는 유명한 록 가수가 된 듯, 눈을 지그시 감고 안면에 최대한 인상을 쓰며 멜랑꼴리한 발라드곡들을 불러 젖히곤 하였다.

<무디 블루스(Moody Blues)>의 <멜랑꼴리맨(Melancholy Man)>, <버클리 제임스 하베스트(Barclay James Harvest)>의 <푸어 맨스 무디 블루스(Poor Man's Moody Blues)>, <킹 크림슨(King Crimson)>의 <에피타프(Epitaph)>, <딥 퍼플(Deep Purple)>의 <솔저 오브 포춘(Soldier of Fortune)>, <레인보(Rainbow)>의 <레인보 아이즈(Rainbow Eyes)>, <퀸(Queen)>의 <러브 오브 마이 라이프(Love of My Life)>, <핑크 플로이드(Pink Floyd)>의 <줄리아 드림(Julia Dream)>, <캔자스(Kansas)>의 <더스트 인드 윈드(Dust in the Wind)>, <조지 베이커 셀렉션(George Baker Selection)>의 <아이브 빈 어웨이 투 롱(I've Been Away Too Long)>, <스콜피온스(Scorpions)>의 <홀리데이(Holiday)>, <아프로디테스 차일드(Aprodite's Child)>의 <레인 앤 티어스(Rain & Tears)> 등등의 노래들을 연속으로 부르며, 어떤 때는 나의 노래에 스스로 감동하여, 주체할 수 없는 눈물을 흘리기도 하였다.

그러다 노래가 바닥이 드러나면 그냥 멍하니 하늘과 구름, 일렁이는 갈대밭과 새들을 바라봤다. 특히 나의 시선이, 무리를 지어 어디론가 힘차게 날아가는 철새들을 따라갈 때는, 나도 그들처럼 훌훌 털고 낯선 이방인의 세상으로 떠나고 싶다는 간절함을 느끼기도 하였다. 그때, 나의 내면은 아마도 누나가 있는 미국으로 이미 끌려가고 있었는지도 모르겠다.

남킹 컬렉션 #019

이방인

남킹 장편소설

거리를
비워 두세요

남 킹 음 악 에 세 이

남킹 컬렉션 #020

당신의 뜻대로 12

34.

몽롱한 상태의 바쁜 며칠을 보낸 후 달콤한 휴식이 찾아왔다. 일요일이 된 것이다. 보통 날씨 좋은 일요일 오후가 되면, 우리 내무반원들은 활주로 옆 잔디밭으로 몰려가서 축구를 하곤 하였다. 그날도 우리는 예외 없이, 간이 골대 2개를 양편에 꽂아 두고는 절반으로 나뉘어 신나게 축구를 하고 있었다. 한창 축구에 몰입하고 있는데, 뜻하지 않게 관중들이 하나둘씩 모여들기 시작하였다. 그들은 우리의 놀이가 재미있는지, 크게 웃으며 환호성도 지르고 손뼉도 치곤 하였다. 그런데 문제는, 그들이 모두 외국인이었다는 것이다. 즉, 이번 훈련에 참여한 미군들이었다.

우리는 점점 늘어나는 관객들에 비례하여 점점 더 당황하기 시작하였다. 그러자 어처구니없는 실수들이 연이어 터져 나왔다. 헛발질이 줄을 잇고 누가 밀지도 않았는데 제풀에 미끄러지기도 하였다. 공을 두고 땅을 차는가 하면 슛한 공이 골대 반대편 공중으로 솟구치기도 하였다. 이제 우리를 뺑 둘러싼, 초대받지 않은 그들은 마치 서커스 구경을 하러 온 어린이처럼 좋아하는 표정들을 짓는 것이었다. 그러자 눈치 빠른 최선임자가 아직 이른 시간임에도 전반전 종료를 선언하였다.

우리는 안도의 한숨을 쉬며, 호기심으로 가득한 이방인들이 빨리 사라져 주기를 기원하며, 삼삼오오 모여 앉아 휴식을 취했다. 그런데 미군 중 덩치 큰 흑인 병사 한 명이 우리에게 다가오더니 영어로 뭐라고 말을 하기 시작하였다. 당황한 우리는 그 누구도 그의 말뜻을 이해하지 못하고 서로의 얼굴만 쳐다보고 멀뚱멀뚱 앉아서 고개만 갸우뚱하고 있었다. 그런데 왠지 우리와 같이 축구를 하고 싶다는 뉘앙스를 나는 느끼게 되었다. 그래서 나는, 짧은 영어 문장으로, 그 병사에게 우리와 함께 운동하기를 원하는가를 물었다. 그러자 그는 유난히 흰 이빨을 크게 드러내며 고개를 끄덕끄덕하는 것이었다. 나는 몇 명 정도 뛰기를 원하는지를 다시 천천히 물어봤다. 그러자 그는 자기 동료들과 빠른 말로 쑥덕이더니, 미군 대 한국군으로 해서 시합을 하고 싶다고 하였다. 그래서 나는 그들의 뜻을, 마치 전문 통역사 같은 의기양양한 자긍심을 애써 감추며, 우리 진영에 전달하였다. 우리 쪽에서는 찬반양론이 팽팽하게 맞서는가 싶더니 결국 도전을 수락하는 것으로 매듭을 지었다.

우리는 지위 고하를 막론하고 객관적으로 실력이 나은 베스트 일레

분을 뽑아 선발로 내세웠다. 나는 심판을 보게 되었다. 사실 실력이 달려 선발을 넘볼 수 없는 처지이기도 하거니와, 혹시라도 분쟁이 발생하게 되면 소통이 가능한 한 거의 유일한 중재자였기 때문이다. 상대 진영에서도 열한 명이 선발되었다. 흑인과 백인이 골고루 섞여 있고 여자도 세 명이나 끼어 있었다. 그런데 우리 선수들은 긴장된 표정이 역력히 드러나지만, 상대방은 마치 소풍 온 사람들처럼 여유와 즐거움이 철철 넘쳐 보였다. 게다가 그들은 우리보다 키가 다들 한 뼘씩은 더 크고 덩치도 훨씬 좋았다. 그래서 우리는 몸싸움을 피하고 짧은 패스 위주로 빠르게 공격하기로 작전을 세웠다.

나는 양 팀의 진영이 갖추어진 것을 확인한 뒤 경기 시작을 알리는 호각을 불었다. 우리 선수들은 킥오프가 진행되자마자, 마치 국가 대표라도 되는 양, 전력 질주를 하며 공을 가진 상대방에게 달려들었다. 기선 제압을 위하여 강력한 전방 압박을 가한 것이다. 그러자 미군들은 당황한 듯 움찔움찔 놀라며 뒷걸음치다 결국 패스 한 번 못해보고 공을 뺏기곤 하였다. 그런 상대에게 우리는 비장한 표정으로 맹공을 퍼붓기 시작하였다.

승부의 추는 의외로 너무 쉽게 기울어져 버렸다. 그들은 마치 태어나서 축구공을 처음 만져 본 사람처럼 보였다. 느리고 서툴렀다. 게다가 경기에 임하는 자세가 너무 느긋했다. 공을 뺏겨도 그다지 안타까워하지 않는 모습이었다. 결국, 우리가 10 대 1로 이겼다. 게다가 상대방이 득점한 한 골도, 경기 막판에 우리 진영 가까이에서 벌어진 가벼운 몸싸움에, 내가 그냥 선심 쓰듯 페널티킥 선언을 해서 얻은 거였다. 경기 초반, 그들의 덩치에 바짝 긴장했던 우리가 오히려 무안하게 느껴졌다. 아무튼, 부상 없이 축구 경기를 잘 끝낸 양 팀은 악수를 교환하였고, 다음번에는 야구 시합을 하자는 미군들의 제안을 우리가 흔쾌히 받아들이며 헤어졌다.

35.

그날 저녁, 나는 무척 고무되어 있었다. 태어나서 처음으로 외국인과 영어로 의사소통을 하였다는 사실에 덧붙여, 그들의 말을 어느 정도 이해하고 나의 뜻을 어느 정도 영어로 표현할 수 있었다는 것에 말할 수 없는 기쁨을 느낀 것이다. 더구나 내 주위의 젊은이들보다 내가 좀 더 낫지 않은가! 나는 못난 내 인생의 돌파구가 어쩌면 영어에 있을 것 같다는 운명적 믿음을 그날 가지게 되었는지도 모르겠다. 내 누이가 미국에 있다는 것 또한 그러한 믿음에 어느 정도 일조를 하였을 것이다.

나는 식사를 끝내자마자 곧바로 독서실로 달려갔다. 본격적으로 영어를 공부해야겠다고 다짐하였기 때문이다. 나는 서재에서 도움이 될 만한 영어책을 찾기 시작하였다. 하지만 쉽사리 눈에 띄지 않았다. 영어와 관련한 책들은 대부분 사전류나 고등학교 참고서뿐이었다. 그렇다고 참고서로 영어 공부를 하자니 선뜻 마음이 내키지 않았다. 입시 실패의 아픈 추억도 한몫 거들었겠지만, 무엇보다 딱딱하고 지겨운 책으로 끝까지 읽어 낼 자신이 없었기 때문이었다. 그러다 마침내 서재 한쪽 구석에서 <영한대역문고>라는 작고 얇은 책 하나를 발견했다.

붉은색 표지에 <And Never Said a Word>라는 영어 제목이 적혀 있고 그 밑에 한글 제목 <그리고 아무 말도 하지 않았다>가 표기되어 있었다. 책 제목치고는 좀 이상하다는 생각이 처음에 들었다. 그리고 제목 밑에는 연필로 그린 듯한, 작가로 보이는 초상화가 인쇄되어 있었다. 머리가 많이 벗겨진, 중년의 마음씨 좋은 듯한 외국 아저씨가 싱긋이 웃고 있는 듯한 모습이었다. 그리고 그의 이름이 까만 바탕에 흰 글씨로 적혀 있었다. <Heinrich Böll> 처음에는 영어인 줄 알았는데 자세히 보니 <ö>라는 생소한 철자가 눈에 띄었다. 다행히 고등학교 때 독일어를 배운 까닭에, 나는 작가가 독일 사람이라는 것을 금방 알아차렸다.

책을 펼쳐 보니, 왼쪽 면은 영어로 오른쪽 면은 국문으로 번역이 되어 있었다. 영어 한 문장씩 차곡차곡 읽고 생각하고 번역문과 맞추어 보면 꽤 재미가 있을 것으로 보였다. 그래서 나는 그 책을 가지고, 입시 공부에 여념이 없는 동기 옆자리에 앉아 읽기 시작했다. 그런데 생각보다 아주 어려웠다. 진도가 잘 나가지 않았다. 처음 보는 단어들이 너무 많았다. 게다가 문학 작품이다 보니 쉽고 단순한 문체가 아니었다. 머릿속이 마치 스파게티처럼 얽히고설키고 있었다. 나는 그날, 몇 시간을 끙끙대다, 겨우 1페이지 정도 끝내고 잠자리에 들고 말았다.

다음 날 저녁, 같은 자리에 앉은 나는, 하루만 더 버텨 보자는 각오로 다시 그 책을 펼쳤다. 하지만 얼마 지나지 않아, 나는 혼란과 자책과 절망 속으로 빠져들어 가는 나를 발견하고 있었다. 시간 대부분이 영어 사전 뒤지는 것에 할당되고 있었다. 한숨이 절로 나왔다. 결국, 나는 참지 못하고 그 자리에 벌떡 드러누워, 눈을 감은 채, 이

괴로운 영어 공부를 어떻게 슬기롭게 헤쳐 나가야 할지, 고민에 빠지기 시작했다. 하지만 아무리 생각해도 해답이 안 보였다. 결국, 그날은 고심만 하다 끝나고 말았다.

36.

다음 날에도 나는 변함없이 독서실을 찾기는 하였다. 하지만 선뜻 그 책을 읽을 용기가 나지 않았다. 책 제목처럼 나는 <아무 말 없이> 앉아 있기만 했다. 그러다 나는 아무래도 다른 책으로 영어 공부를 하는 게 낫겠다는 생각을 하기 시작했다. 아니면 참고서를 보는 게 현명하다고도 생각했다. 그래서 나는 책을 서재에 도로 꽂아 두었다. 그러다 문득 이런 생각이 들었다. 이왕에 이렇게 된 거, 그 소설의 내용이나 한번 살펴보자는 거였다. 사실 2페이지 정도밖에 읽지는 않았지만, 왠지 모르게 끌리는 듯한 느낌을 받았기 때문이었다. 그래서 나는 한글 번역 부분만 읽기 시작했다.

다음 날도 그 책을 읽었다. 그다음 날도 계속 읽었다. 그리고 마지막 장을 넘겼다. 아쉬움이 찾아왔다. 읽는 내내 슬픔과 고통을 느꼈는데 막상 끝이 나니 아쉬움만 덩그러니 남았다. 나는 다시 첫 장으로 돌아갔다. 이번에는 한 줄 한 줄 힘들게 읽기 시작했다. 그렇게 꼬박 일주일을 더 보냈다.

나는 읽는 내내, 작가가 사실대로 그려 놓은 가난하고 절망적이며 음울하기 그지없는, 패전으로 망가진 독일의 세상에 갇혀 지내야만 했다. 나는 마치 소설 속의 주인공으로 빙의가 된 것처럼 같이 아파하고 괴로워하고 방황하고 있었다. 그리고 무엇보다도, 가난으로 흩어진 우리 가족과 닮아 있었다. 나는 이제껏 잘 생각하지도 않았던 우리 가족 - 아버지, 어머니 그리고 누나 - 을 떠올렸다. 이제껏 원망과 불평의 대상으로만 여겨졌던 우리 가족에게 비로소 그리움이 덧붙여진 것이다. 그리고 나는 글이 주는 놀라운 매력에 빠지고 말았다. 나는 음악에 빠진 것처럼 이제 문학에 푹 빠진 것이다.

그날 이후, 나는 독서실 서재에 꽂힌 책들을 닥치는 대로 읽기 시작했다. 영어 공부는 자연히 뒷전이 되었다.

그러던 어느 날 나는 두꺼운 책 하나를 꺼냈다. 나의 누이가 예전에 좋아하던 소설이다. <빅토르 위고>의 <레미제라블>. 사실 독서실에서 가장 눈에 띄는 책이었는데, 그 두께에 압도되어 감히 선택할 수 없었던 거였다. 게다가 나의 독서 속도는 아주 느린 편이었다. 나는 한 줄 한 줄 문장의 의미를 곱씹어가며 읽었으며, 그 뜻이 잘 이해되지 않으면 몇 번이고 반복하여 읽기를 주저하지 않았다. 그래서 그런지 본능적으로 두꺼운 책에 손이 잘 가지 않았다. 하지만 이제 사정이 달라졌다.

나는 좋은 글이 우리의 내면에 미치는 놀라운 힘을 인지하게 된 것이다. 나는 이제 글을 통하여 더 많은 자극을 받고, 그러한 과정에 내 삶의 깊이를 늘려나가는 것에 아무런 주저함도 느끼지 않게 된 것이다. 그렇게 위고와의 만남이 시작되었다.

그리고 그 속에서 나는 미리엘 신부를 만났다. 성당의 은그릇을 훔쳐 간 장발장에게 그는 말했다. "나는 당신에게 은촛대도 주었는데……. 왜 가져가지 않았소?" 나는 이 부분에서 그만 눈물을 쏟고 말았다. 아주 펑펑 흘렸다. 주체할 수 없는 감동이 밀려왔다. 나의

말라비틀어진 마음에 단비 같은 사랑이 주룩주룩 내리는 것만 같았
다. 나는 이 부분을 읽고 또 읽었다. 그러자 원망이 사라지고 선한
마음이 찾아왔다. 나는 어느새 장발장이 되어 있었다.

앙리깡테는

언제나 맑음

남 킹 에 세 이

남킹 컬렉션 #023

길에 내리는 빗물

남 킹 소 설 집

남킹 컬렉션 #024

당신의 뜻대로 13

37.

그러자 놀라운 일이 일어났다. 입대 후 처음으로 아버지가 면회를
온 것이다. 아버지를 마지막으로 본 게 몇 년 전인지 기억도 나지
않았다. 부동산 사업하신다고 있는 돈 없는 돈 다 끌어모아 외지로
떠난 게 내가 중학생 때였다. 그동안 내가 접한 아버지 소식은 도망
다닌다는 것, 결국 자수해서 옥살이했다는 것 그리고 풀려났다는 것
뿐이다.

설렘과 주저함이 교차하는 복잡한 심경으로 면회실 문을 연 순간,
아버지는 오래 기다렸다는 듯, 환한 미소를 지으며 어깨를 으쓱으쓱
하고 계셨다. 반가워할 때의 저 특이한 모습은 공교롭게도 미래의
손녀딸이 그대로 물려받았다. 아버지의 큰 체구는 여전하였으나, 얼
굴과 팔은 까맣게 탄 채 깡말라 보였다. 아버지가 앉은 자리 앞 탁
자에는 빵이 수북이 쌓여 있었다.

내가 앉자마자 아버지는 그중 한 개를 집더니 비닐 포장을 능숙하게 벗기고는 내게 불쑥 내밀었다. "이거 엄청 맛있다. 함 무 봐라." 노릇하게 잘 익은 단팥빵이었다. 나는 엉거주춤 빵을 받아 든 채 아버지를 바라보며 황망한 표정을 지어 보였다. 아버지는 나의 표정에 담긴 무언의 질문을 알아차린 듯 고개를 면회실 창 쪽으로 끄덕끄덕 하시면서 손짓하였다. 아버지의 손끝을 따라간 나의 시선에 아담한 크기의 분홍색 트럭이 들어왔다. 트럭의 한쪽 전체에는 여러 가지 모양의 빵이 담긴 광주리를 든 아리따운 주부가 활짝 웃는 모습의 사진이 크게 새겨져 있었다.

"아들아…. 너거 아부지 빵 공장에 취직했다." 아버지는 특유의 거만한 표정으로 두 팔을 의자에 걸친 채 빙그레 웃으며 나를 찬찬히 바라봤다. 아버지의 표정에 그리움이 배어있다. 나는 무표정하게 빵을 한 입 베어 물었다. 그러자 속에서 울컥하고 뭔가가 올라왔다. 나는 애써 참으며 빵을 천천히 씹었다.

"이제 병장이네…. 좀 편안하제?" 아버지의 물음에 나는 고개만 끄덕거렸다.

"너거 엄마도 데리고 올끼다. 집 하나 봐 났다. 다음 달에 들어 갈끼다...니 방도 하나 있다. 이제 니 제대하면 같이 살면 된다. 아무 걱정 없다. 이젠…." 나는 말 없이 다시 아버지의 트럭을 바라봤다.

"저게 저래 봬도 엄청 빠르다. 새벽에 빵 가게 한 바퀴 쫙 돌고 오후에 급한 곳 몇 군데만 더 돌면 된다. 마 너거 아버지한테는 식은 죽 먹기다. 너거 아버지 운동 신경 하나는 죽인다 아이가…. 총알같이 운전한다…. 속도위반 걸려도 상관없다. 회사에서 알아서 다 처리한다. 그러니 맘 놓고 밟는다…."

38.

면회실을 나와 내무반으로 가는 내내 나는 울었다. 그냥 주체할 수 없는 울음이 흘러내렸다. 내무반에 도착하기 직전에 손등으로 눈물을 겨우 훔쳐내었다. 일요일, 평상에서 뒹굴고 있던 내무반원들이 호기심 어린 눈빛으로 나를 쳐다봤다. 그도 그럴 것이 양손에는 뭔가를 잔뜩 담은 큰 비닐봉지가 들려 있고, 눈은 퉁퉁 부은 채 빨갛게 충혈되어있었기 때문이었다. 빵을 쏟아내자 다들 환호성을 질렀다. 옆 반에 있던 녀석들도 몰려와서 다들 빵을 한두 개씩 집어 갔다.

심심한 일요일 오후 느닷없이 빵 파티가 벌어졌다. 나도 빵 하나를 집어 입에 넣었다. 참 맛있었다. 아버지는 내게 통장 하나를 내밀었다.

"니 적금통장 하나 맹글었다. 니 대학 등록금 할끼다…."

아버지는 약속을 지켰다. 한 달 뒤, 어머니와 함께 면회를 오신 것이다. 물론 엄청난 양의 빵도 포함해서 말이다. 그리고 누이의 편지도 가지고 왔다. 누나는, 내가 전역하면 미국으로 건너와서 아르바이트 하면서 영어도 배우고 또, 천천히 대학도 진학할 수 있도록 나를 도와주겠다고 하였다.

"봐라. 너거 누나, 니 안 잊었다 아이가…." 어머니는 눈물을 글썽이며 말씀하셨다.

39.

나는 그날 저녁, 독서실에서 고등학교 참고서를 꺼내 펼쳤다. 다시 대학 입시 준비를 시작한 것이다. 나는 그 해, 내게 일어났던 일련의 일들이, 만약 신이 있다면, 마치 신의 섭리와도 같은 것이라고 느꼈다. 신은 내게 <하인리히 뵐>을 만나게 해 주었다. 그리고 그를 통하여 <인간의 슬픔>을 공유하고 나를 문학의 세상으로 인도하였다. 그리고 신은 다시 <빅토르 위고>를 소개하셨고, 그를 통하여 내게 <선한 마음>을 깨우쳐 주셨다. 선한 마음을 생각하자 놀랍게도 가족들이 돌아왔다. 아니 가족들은 애초에 떠난 적이 없었다.

나는 이듬해 전역을 하였고, 그해 대학에 입학하였다. 나의 전공은 독어독문학과다. 나는 학과 선택을 고민할 필요가 없었다. 나는 이미 루이제 린저, 귄터 그라스, 괴테, 프란츠 카프카, 밀란 쿤데라 등의 여러 유럽의 문인들에게 사로잡혀 있었기 때문이다. 그리고 나는 언젠가 그들이 나고 자란 곳을 직접 가 볼 수 있기를 희망하였다.

40.

쾰른의 일요일은 짙은 안개로 시작되었다. 나는 안나의 좁은 침대에
서 밤새워 뒤척이다, 늦게 잠든 바람에 거의 정오 가까이 일어났다.
사실 늦게 일어난 게 좀 다행스럽기도 하였다. 어차피 오늘 하루는
아무런 할 일이 없었기 때문이다. 그저 시간이 빨리 가서, 내일 오전
에 내 차를 돌려받고 집으로 내려가기만 바랄 뿐이었다. 나는 일단
뭔가 요기를 해야겠다는 생각에 냉장고 문을 열어 봤다. 집에서 가
져온 듯한 몇 가지 밑반찬과 다양한 종류의 맥주 캔들이 눈에 띄었
다. 다소 실망한 나는, 잠시 나가서 피자라도 먹을까 하고 외투를 입
으려다, 오늘이 일요일이라는 사실에 주저앉고 말았다.

독일에서 일요일에 문을 여는 식당은 〈맥도날드〉나 〈버거킹〉 같은 미국 자본의 패스트푸드점 외에는 찾아보기 힘들기 때문이다. 그나마 독일인들의 주식인 빵집은 오픈하는데, 그것도 대부분 오전이 지나면 문을 닫아 버린다. 그러니 24시 편의점 같은 것은 이곳에서는 상상조차 하지 않는 편이 좋을 것이다. 가끔 한국 사람 중, 토요일 밤늦은 시각에, 조식이 제공되지 않는 호텔에 투숙했다가 다음 날 온종일 쫄쫄 굶는 불상사가 발생하기도 한다.

나는 할 수 없이 먹을 것을 찾아 이것저것 뒤지기 시작했다. 좁은 방에 지나치게 많은 짐이 뒤섞여 있어 산만하기 이를 데 없었다. 화장실 입구 근처 구석을 살펴보니 담배꽁초가 수북이 쌓여 있는 깡통이 먼저 눈에 들어왔다. 자세히 들여다보니 다양한 종류의 담배들이 쌓여 있다. 아주 오래된 것부터 최근에 막 핀 듯한 것들까지, 슬림한 모양부터 손으로 조잡하게 말아서 만든 것까지 실로 다양하기 짝이 없었다. 안나 혼자서 이 모든 담배를 다 핀 것 같지는 않아 보였다. 사실 아내가 안나와 학과 친구들의 흡연을 의심하기에, 나는 별 대수롭지 않게 받아넘겼는데, 아무튼 물증은 확실히 잡은 셈이다. 다만 이 사실을 아내에게 고해야 할지 말아야 할지 그게 고민스러웠다. 왜냐하면, 아내는 안나가 집 가까이에 있는 대학에 다니기를 원했기 때문이다.

아내의 표현을 빌자면, '안나는 성격이 너무 여려서 자칫 나쁜 애들에게 쉽게 빠지거나 이용당할 수 있다'라는 거였다. 그래서 부모가 가까이에서 꾸준히 지켜봐야만 한다는 논리였다. 나는 아내의 주장에 실소를 금할 수 없었다. 아시다시피, 아내는 집에서 벗어나기 위해, 말도 안 되는 동생 핑계를 대며, 아주 멀리 있는 서울로 유학하지 않았는가! 그런데 안나의 학교는, 집에서 자동차로 겨우 2시간 거리였다.

이번에는 맞은편 구석에, 비닐로 된 쇼핑백을 덮어 놓은 것을 살짝 들춰봤다. 빈 술병과 캔들이 수북이 쌓여 있었다. 그중에 몇몇 병에는 담배꽁초가 들어가 있었다. '이 코딱지만 한 방에서 파티하였나?'라는 생각이 순간적으로 스쳐 지나갔다. 그러지 않고서는 이 많은 술병을 안나 혼자서 마셨다고는 상상이 되지 않았다. '아니면 이곳에 살게 된 후로 한 번도 빈 병을 버리지 않은 건가?' 나의 머릿속이 온갖 추측과 상상으로 복잡하게 섞이기 시작했다. 나는 이제 마치 범죄 현장에 조사 나온 감식반처럼 꼼꼼하게 이곳저곳을 들춰보기 시작했다. 먹을 만한 것을 찾겠다는 애초의 의도는 온데간데없이 사라져 버렸다.

다음으로 안나의 책상을 살펴보기 시작했다. 3층으로 된 아담한 책꽂이와 필통, 휴대용 CD 재생기 겸 라디오, 플라스틱으로 된 CD

보관용 데스크 그리고 책상 위에 널브러진 여러 CD 등이 눈에 들어왔다. 나는 우선 CD 들을 살펴봤다. 절반 정도는 클래식 음반이었으며, 나머지는 요즈음 유럽에서도 젊은이들 사이에 인기를 끌고 있다는 K-Pop 들이었다. 나는 그중에 클래식 CD 한 장을 꺼내어 플레이어에 넣고 재생 버튼을 눌렀다. 조용한 피아노 연주가 흘러나왔다. 아마 안나가 연습하는 곡 중의 하나일 듯싶었다. 그런대로 들을 만했다. 클래식에 대해서는 거의 문외한이었지만, 일요일 오후, 뜻하지 않은 고독과 배고픔을 감내해야 하는 작금의 상황에서 그나마 위안거리는 되어 주는 듯했다.

나는 눈을 돌려 책꽂이에 꽂혀 있는 책들을 살펴봤다. 대부분 클래식 음악과 관련된 책 들이었으며 간간이 한글 소설책도 눈에 띄었다. 대부분의 한글책은 나의 서재에서 가져다 놓은 것들이었다. 그리고 <법정 스님>의 <무소유>라는 책이 눈에 들어왔다. 안나가 견진 성사 때 신부님께서 선물하신 책이다. 안나와 같이 포장지를 뜯고 처음 책을 마주했을 때의 의아함과 감동이, 꽤 많은 시간이 흘렀음에도 아직도 생생하게 남아있다. 우리는 천주교 교리서 정도로 기대하고 있었는데 뜻밖에 스님이 집필하신 책이라니! 그 내용은 미리엘 주교와 너무도 닮아 있었다. 어느 것 하나 <가짐>으로써 느껴야 하는 <부담감>. 그러므로 종래 <줌>으로써 훌훌 털어버릴 수 있는 <마음의 가벼움>. 나는 안나가 이 책만큼은 두고두고 소유하고 있기를 바랐다.

서글픈
나의 사랑

남 킹 장 편 소 설

남킹 컬렉션 #025

남킹 SF
소설집

브런치 스토리

남킹 컬렉션 #026

당신의 뜻대로 14

41.

그러다 나는 안나의 낙서장을 발견했다. 여러 가지 사랑 혹은 이별을 묘사한 노래 가사와 만화 주인공 그림들이 가득했다. 하지만 그것만이 있는 게 아니었다. 그녀의 슬픔과 기쁨, 고통과 행복들이 깨알 같은 글씨로 구석구석 아로새겨져 있었다. 나는 배고픔도 잊은 채 찬찬히 하나하나 읽어 나갔다. 그리고 그 속에서 나는 미처 깨닫지 못하였던 안나를 발견하고 있었다.

그녀는 무엇보다도 전공인 클래식 음악에 빠지지 못하는 자신에게 힐책을 가하고 있었다. 그녀는 의무적으로 수업을 듣고 연주를 하며, 주위의 시선에 맞추어 행동하고 말하는 자신이, 점점 위선적이고 못나 보인다는 투의 고통을 곳곳에 적어 놓았다. 그녀는 몇 시간씩 클래식 음악에 심취하여 감동의 표정으로 앉아 있는 친구들을 보며, 대단한 부러움과 질투심을 동시에 느끼며, 결국 그들이 자신보다 더 뛰어난 연주 실력을 갖출 수밖에 없는 뻔한 결말이 점점 다가오고 있는 현실에 일종의 자괴감을 서술해 놓기도 하였다. 즉, 그녀는 아무리 노력해도 클래식 음악에서 감동하지 못하는 것이다.

이 부분은 나와 많이 닮았다. 어떤 이들은 음악에 심취하게 되면, 초반에는 다양한 장르의 음악을 듣게 되지만 결국에는 재즈나 클래식으로 간다고 하였다. 그러나 나는 지금까지 발라드풍의 팝송에서 시작하여 록의 세상에서만 줄곧 살아왔다. 최근에 줄곧 애청하는 음악들도 결국 록에 뿌리를 둔 프로그레시브 록, 포스트 록, 아트 록 등과 같은 범주로 분류되는 것들이다. 단지 운동을 할 때는 지극히 단순한 베이스를 기반으로 한 <프로그레시브 테크노>를 틀어 놓고 할 때도 있다. 하지만 아쉽게도 재즈나 클래식 음악에 감흥을 느낀 적이 거의 없었다.

그리고 안나는 발레의 실패처럼 피아노도 잘못됨으로써 갖게 될 부모님의 실망감을 견디기 힘들다고 적어 놓았다. 이 글을 읽자 마음이 한없이 가라앉기 시작했다. 거기에 덧붙여 안나의 능숙한 독일어 실력도 뜻밖의 고통으로 서술돼 있었다. 안나의 학교에는 한국에서 유학을 온 학생들이 많았다. 그들의 공통점은 연주 실력은 아주 뛰어나지만, 독일어가 많이 부족하다는 것이다. 안나처럼 어릴 때 오지 않고, 성인이 되어 유학할 경우, 언어 문제를 사실 극복하기는 쉽지 않은 일임은 틀림없다.

나도, 비록 독일어를 전공하였지만, 독일 사람과 대화를 하면서 버벅

대기 일쑤였다. 그러므로 한국 유학생들에게 안나처럼 독일어를 유창하게 하는 한국 사람은 더할 나위 없이 고마운 존재이다. 문제는 이런 도움을 원하는 한국 유학생들이 너무 많다는 데에 있었다. 그들은 수시로 안나에게 도움의 손길을 요청하였고, 매정하지 못한 나의 딸은 어쩔 수 없이 그들의 청을 대부분 들어준다는 것이다. 덕분에 안나는 경찰서에도 여러 번 간 것으로 적혀 있었다. 간단한 경범죄나 교통 문제 같은 일들도 같이 가서 통역해 주어야 했기 때문이다. 뭐 관공서나 학교 행정실 같은 곳은 거의 제집 드나들듯이 출입을 한다고 했다. 그러니 안나에게는 온전히 자신만을 위한 시간이 턱없이 부족한 것이다. 가장 자유롭고 즐거워야 할 대학 시절이 오히려 그녀에게는 짐으로만 작용하는 듯 보였다.

42.

가슴이 답답한 나는 기숙사를 나왔다. 안개는 사라졌고 휴일의 거리는 차분하고 조용했다. 나는 딸의 고통만큼 무거워진 발걸음을 천천히 내디디어 어디 가서 커피라도 한 잔 얻어먹을 수 있기를 바라고 있었다. 허기에 다리가 후들거렸다. 나는 도로와 철길을 여러 번 건너며 무작정 사람들이 많아 보이는 곳으로 걸어갔다. 사람들이 차츰차츰 늘어났다. 쾰른 시내와 가까워진 것이다. 그러다 마침내 문을 연 카페를 발견했다. 실내는 관광객들로 보이는 사람들로 꽉 찼다. 빈자리가 없었다. 말할 힘도 없이 지친 나는 작은 소리로 커피와 치즈케이크 두 조각을 주문하였다.

주문한 커피와 음식을 받아 들고 나는 급히 근처 공원 벤치에 앉아 허겁지겁 먹고 마셨다. 그러다 갑자기 노숙자 같다는 생각이 들어 황급히 주위를 둘러보며 자세를 고쳐 앉았다. 마침 송아지만 한 개를 앞세운 중년의 아줌마가 내게 살짝 미소를 지으며 옆을 스쳐 갔다. 나는 다시 뜨거운 커피를 호호 불어가며 홀짝거렸다. 따뜻한 기운이 멱을 따라 몸 전체로 퍼져갔다. 그러자 피곤이 몰려왔다. 하지만 몸을 뉠 수가 없는 처지인 데다, 적어도 저녁까지 이곳에 머물며 끼니를 해결해야만 했다. 아니면 패스트푸드점이라도 찾아 햄버거라도 포장해서 들고 가야만 했다. 나는 납덩이 같은 몸을 겨우 곧추세우고 다시 천천히 사람들이 오가는 거리로 빨려 들어갔다.

쾰른 대성당의 웅장한 모습이 지척에 보이는 거리에 들어선 나는, 한 무리의 인파가 모여있는 곳으로 다가갔다. 그곳은 음반 가게였다. 무슨 이벤트를 하는 듯이 보였다. 흥겨운 팝 음악이 크게 흘러나오고 요란하고 울긋불긋한 장식들이 천장에 줄줄이 달려 있었다. 마치 크리스마스 행사 같은 느낌이 들었다. 그곳에는 다양한 모습의 젊은 이들이 삼삼오오 모여 와자지껄 떠들고 있었다. 내부는 좁은 입구보다 훨씬 넓었다. 중앙에는 2층으로 난 에스컬레이터도 있고 구석에는 간단한 무대장치도 있었다.

나는 몸도 녹이고 시간도 때울 겸 구석구석 둘러보기로 작정을 했다. 그렇게 한참을 둘러보던 중 나는 익숙한 얼굴이 그려진 포스트에 발길이 멈추었다. 검은 바탕에 짙은 황갈색의 얼굴. 굳게 다문 입술과 우수에 찬 표정. 수백 번도 더 본 얼굴. 그래서 우연히 길에서 마주친다 해도 아주 오랜 친구처럼 단숨에 알아볼 수 있을 것만 같은 모습. 레너드 코헨(Leonard Cohen)>이었다.

군에서 마지막 휴가를 나왔을 때, 나는 헌책방 거리를 쏘다니며 고등학교 참고서를 구매하다가 우연히 음반 가게에 들러 코헨의 신작 앨범 <Various Positions>을 구매했었다. 그리고 대학 시절 동안 그는 언제나 나와 함께 했다. 그중에 내가 가장 좋아했던 노래는 <If it be Your will (당신의 뜻이라면)>이었다. 나는 이 노래를 수백 번도 넘게 들었으므로 아마 잠결에서도 흥얼거릴 수 있었을 것이다. 그런데 생각지도 않게 이국 만 리 낯선 장소에서 이렇게 조우를 다시 하고 말았다.

학창 시절의 추억과 함께 그리움이 스멀스멀 올라왔다. 나는 그의 앨범 <Various Positions> CD 2장을 즉석에서 구매했다. 한 장은 나를 위해 또 한 장은 딸에게 선물할 생각이었다. 음반 가게를 나오자 다행히 얼마 떨어지지 않은 거리에 피자 가맹점이 개점 중이었다. 나는 피자 한 판을 받아 들고 택시를 타고 안나의 기숙사로 향했다. 오늘 밤은 피자와 맥주로 속을 채운 뒤 코헨의 음악으로 추억을 담아 두기로 하였다.

43.

다음 날 나는 무사히 내 차를 찾았다. 물론 적지 않은 견인 비용도 지급했다. 결과적으로 값비싼 축구 관람료를 내게 된 셈이었다. 그러고서는 나는 뒤도 돌아보지 않고 내 집과 회사가 있는 프랑크푸르트로 쏜살같이 달렸다. 달리면서 내내 <레너드 코헨>의 음악을 들었다. 안나의 책상에도 그의 CD를 한 장 남겨 두었다. 그리고 노트한 장을 찢어 간단하게 그녀에게 편지를 썼다.

'사랑하는 우리 딸 안나에게

덕분에 주말 이틀은 좀 불편했지만 재밌고, 좀 배고팠지만, 추억을 얻게 되어

감사의 마음으로 우리 딸에게 선물을 마련했어….

아빠가 한때 엄청 좋아했던 <레너드 코헨>의 앨범을 우연히 쾰른 시내에서 샀거든……

그의 노래는 너무 많이 들어 아마 귀에 못이 박혔을 거야….

그중에 가장 좋아하는 노래는 앨범의 마지막에 있는 <If it be Your will (당신의 뜻이라면)>.

노래 가사 중 특히 좋아하는 부분.

....

If it be your will (당신의 뜻이라면)

If there is choice (선택할 수 있다면)

Let the rivers fill (강물을 채우고)

Let the hills rejoice (기쁨의 언덕을 만드시고)

Let your mercy spill (당신의 자비를 채우시어)

On all these burning hearts in hell (모든 고통받는 이들에게)

If it be your will (당신의 뜻이라면)

To make us well (우리를 편안케 하소서)

....

음…. 다소 기독교적인 메시지이지만….

아빠가 늘 얘기했던 <선한 마음>이 느껴지잖아?

그러면 된 거지…. 그것 말고 뭐 있겠어?

그리고 참, 사람들이 너에게 도움을 청한다는 거는 그만큼 우리 안나가 소중하다는 뜻이겠지.

그러므로 귀한 자신을 잘 돌보아주기 바람. 무슨 뜻인지 알겠지?

smoke, alcohol (그리고 엄마에겐 비밀로 할게….)

아빠가 독일에 와서 좋았던 점은 덜 경쟁한다는 거지.

적게 일하고 느리게 밥 먹고 책을 사랑하고 대화를 즐기는 모습도 좋았고

그리고 무엇보다 학업의 성취나 직업의 높낮이 등에 그다지 신경을 쓰지 않는 모습이 무척 보기 좋았거든…….

그래서 아빠가 해주고 싶은 말은…….

그냥 너의 마음이 가는 대로 하길 바래.

너의 뜻대로……. 그냥 네가 하고 싶고 좋아하는 것을 한다면

아빠는 무조건 O.K.

사랑하는 아빠가.

추신 : 이번 방학 때 유럽여행 한번 생각해보셔. 혼자서는 위험하니

뜻 맞는 친구들과 함께라면.'

며칠 뒤, 안나에게서 메신저가 도착했다. 아빠의 선물에 감사하다는 것과 실용음악학과를 부전공으로 이수할 생각을 한다는 것, 그리고 싱어송라이터가 되고 싶다는 바램도 적혀 있었다. 나는 답장으로 하트 이모티콘을 다섯 개 날렸다. 아내는 안나의 메신저를 보더니 다음과 같이 말했다.

"우리 안나는 무대 체질이라니까…. 글쎄…. 나 닮아서……."

브런치 스토리

남킹 사랑 소설집

남킹 컬렉션 #028

당신의 뜻대로 15

44.

에든버러 공항은 아담하였다. 비행기 트랙에서 내리는 순간 훅하고 8월의 더운 바람이 세차게 몰려왔다. 하늘은 대체로 맑았다. 다양한 구름이 가까이에서 느껴진다. 아내는 가방에서 창이 넓은 검은색 플로피햇 모자를 꺼내어 썼다. 이탈리안 웨스턴 무비인 <황야의 무법자>에 등장하는 <클린트 이스트우드>처럼 보였다. 입국 심사원에게, 프린지 페스티벌을 관람하러 왔고, 이틀 뒤 기차로 런던으로 갈 예정이라고 하였다. 그러자 심사원은 스코틀랜드는 처음이냐고 물었다. 우리는 동시에 "네"라고 답하고 서로를 보며 웃었다.

아내는 스코틀랜드 여행을 무척 기대하는 눈치였다. 떠나기 몇 주 전부터 입고 갈 옷이 없다고 투덜거렸다. 하지만 정작 산 것은 크고 검은 선글라스였다. 아내는 영화 <티파니에서의 아침을>에서 <오드리 헵번>이 썼던 것과 같은 모델이라고 했다. 하지만 나는 아직 그 영화를 보지 못했다. 내가 알고 있는 <오드리 헵번>은 <로마의 휴일>에 나오는 깜찍한 단발머리 소녀뿐이다. 그래서 그런지, 선글라스를 끼고 흡족한 표정을 짓고 있는 아내를 보며, 도저히 이미지 매칭이 되지 않았다. 오히려 <매트릭스>의 여주인공 <캐리앤 모스>가 연상되었다. 물론 속으로만 생각했다.

우리는 공항을 빠져나와 시내로 가는 버스표를 샀다. 비교적 가까운 거리에 시내가 있었다. "잘난 딸 덕분에 스코틀랜드도 구경해보네." 아내가 버스 창으로 스쳐 지나가는 아름다운 도시를 바라보며 속삭였다. 안나는 한 달째 남자 친구와 영국을 돌아다니고 있다. 남자 친구는 안나와 같은 대학에서 실용음악학과를 다니는 헝가리계 독일인이다. 그의 이름은 마누엘이다.

안나는 부전공으로 재즈 피아노를 선택하였고, 그와 몇 번 합주하면서 자연스럽게 연인 관계로 발전하였다. 그는 7살 때부터 기타를 쳤다. 대학에서는 작곡을 전공하고 있다. 올해 초 그들은 밴드를 결성하고 몇 개의 데모 음원도 발표하였다. 그리고 한 달 전 그들은 영국의 도시들을 돌며 길거리 연주를 한다며 떠났다. 최종 목적지는 <에든버러 프린지 페스티벌>에 참가하는 것이며, 그곳에서 우리를 만나고 싶어 하였다.

45.

우리는 버스 승객들이 대부분 하차하는 곳에 따라 내렸다. <하이 스트리트>라는 팻말이 눈에 들어왔다. 북적거리는 관람객들 사이로 가장 먼저 눈에 들어온 것은, 상모돌리기를 하며 꽹과리를 치는 한국 청년이었다. 반가운 마음에 휴대폰을 꺼내 열심히 영상을 담았다. 아내는 흥에 겨운 듯 연신 어깨를 들썩거리며 같이 춤을 췄다. 뒤이어 이번에는 젊은이 여럿이 소고를 들고 장단에 맞춰 단체로 춤을 추었다. 아내는 예외 없이 이번에도 그들 주변을 돌며 흉내를 냈다. 저 주체할 수 없는 끼를 지금까지 용케 참고 산 게 신기하게만 느껴졌다.

얼마 전 아내는 부부나 연인이 함께하는 라틴 댄스를 무척 배우고 싶어 했다. 하지만 나는 작은 키와 어떤 동작을 해도 어울리지 않는 밋밋한 체형을 내세워 거절하였다. 그러자 그녀는 나에게 영화 <여인의 향기>에서 <알파치노>가 멋진 탱고를 추는 장면을 보여주며 말했다.

"알파치노가 당신보다 무려 1cm나 작다니까. 글쎄."

"하지만…"

"하지만 뭐?"

"하지만 얼굴이 많이 딸리잖아." 나의 변명 같지 않은 변명에 아내가 어이가 없다는 표정으로 쳐다봤다. 하지만 사실이었다. 나는 남의 눈에 비칠 나의 초라한 모습에 항상 열등감을 가지고 살아왔다. 특히 아내보다. 나는 아내와 길을 걷다 마주치는 사람들의 시선에서 풍겨오는 묘한 빈정거림 들 – 여자가 무척 아까운데 혹은 와이프는 아닌 것 같은데 -에 괜히 주눅이 들고는 하였다.

<팔리아멘트 스퀘어>에 이르니 중국 기예단으로 보이는 한 청년이 웃통을 벗고 서커스 묘기를 하고 있었다. 조각 같은 근육질 몸매에 아내의 탄성이 절로 터졌다. 나는 서둘러 자리를 떴다. 우리는 이제 <헌터 스퀘어>로 접어들었다. 수염이 덥수룩한 흑인 청년이 농구공 묘기를 하고 있었다. 그는 경쾌한 재즈 음악에 맞추어 쉴 새 없이 떠들면서, 농구공 3개를 다양한 모양으로 저글링 하였다. 주변에서 지켜보던 꼬마들이 깡충깡충 뛰면서 열렬한 박수를 보낸다. 나는 귀여운 꼬마들을 휴대폰에 담기 시작했다.

46.

"여보! 저기, 봐봐." 갑자기 아내가 나의 손을 급히 잡아끌었다. 우리의 시선이 향한 곳이 점점 가까워지면서 나는 안나를 확인할 수 있었다. 안나와 마누엘 주변으로 수십 명의 사람이 모여있었다. 그녀는 찢어진 청바지와 하늘하늘해 보이는 체크무늬 블라우스를 입고, 자그마한 전자 오르간을 연주하며 노래를 부르고 있었다. 그녀의 남자 친구는 옆에 서서 전자 기타를 연주하고 있었다. 맑은 전자음과 기타의 노이즈가 적절하게 배합되어 몽환적이고 부유하는 듯한 사운드가 흘러나왔다.

안나의 노랫소리는 들릴 듯 말 듯 하였다. 마치 〈빈센트 반 고흐〉

의 <별이 빛나는 밤> 세상에 온 듯한 기분이었다. 아내와 나는 인파 속을 살짝 비집고 앞으로 나아가 손을 흔들었다. 하지만 연주자들은 약속이나 한 듯이 줄곧 시선을 아래로 향하고 있었다. 슈게이징 밴드의 전형을 보는 것 같았다. 연주가 끝나자 박수가 나왔고 그제야 꿈에서 깬 듯 그들은 관객들을 마주 보았다.

안나가 우리를 보았다. 그녀는 활짝 웃으며 어깨를 으쓱거렸다. 마누엘도 우리를 알아채고 손을 살짝 흔들었다. 지난번 보았던, 말쑥한 정장 차림의 백인 청년이, 한 달간의 무전여행 탓으로, 덥수룩한 수염에 초췌한 모습의 히피족으로 바뀌어 있었다. 하지만 크고 깊은 눈매는 여전하였다. 안나가 마이크를 잡더니 관객들에게 감사를 전하고는 갑자기 우리를 소개하였다. 그러자 박수가 터져 나오고 우리는 얼떨결에 연신 고개를 숙였다. 그러고 나서 안나는 나에게 손짓을 하며 마이크 앞으로 나오게 하였다. 내가 주춤거리자 다시 격려의 박수가 쏟아졌다. 나는 어쩔 수 없이 안나 옆에 서게 되었다. 주위의 시선이 모두 내게 몰렸다. 얼굴이 화끈하게 달아오르기 시작했다. 안나는 가방에서 CD 한 장을 꺼내더니 관객들에게 보여주며, 마이크에 바짝 입을 대고 조용히 말을 하기 시작했다.

"여러분, 이 CD는 제가 가장 좋아하는 음반입니다. 캐나다의 서정시인이자 뮤지션인 분이죠. 아마 너무도 유명하여 여러분들도 다들 알고 계시리라 믿습니다. 레너드 코헨입니다. 앨범 명은 <Various Positions>이고요. 어느 날 아버지가 선물로 제 방에 두고 가셨습니다. 저는 그날 밤 이 앨범을 무척 많이 들었습니다. 아니, 그날 이후 지금까지 아주 많이 듣게 되었습니다. 그리고 비로소 저는 내 의지로, 나 스스로 음악을 사랑하게 되었습니다. 저는 특히, 이 앨범의 마지막 곡을 가장 좋아합니다. 아버지도 저만큼 젊었을 때 물론 가장 좋아하였던 곡이기도 하고요. <If it be Your will> 아버지와 함께 불러 보겠습니다. 감사합니다."

간간이 박수가 나왔다. 기타리스트가 잠시 숨을 고르더니 연주를 하기 시작했다. 딸이 팔짱을 꼈다. 익숙한 음이 들려왔다. 맑은 기타 소리. 수백 번도 더 불러 본 너무도 익숙한 음이 들려왔다. 나는 떨리는 입을 마이크에 가까이 가져갔다. 그리고 아내를 보았다. 그녀는 두 손을 곱게 모아 하트를 표시했다. 나는 그 순간 아내의 댄스 파트너가 될 운명을 직감했다. 그리고 안나와 함께 노래를 부르기 시작했다.

If it be your will
That I speak no more
And my voice be still
As it was before

I will speak no more

I shall abide until

I am spoken for

If it be your will

If it be your will

That a voice be true

From this broken hill

I will sing to you

From this broken hill

All your praises they shall ring

If it be your will

To let me sing

From this broken hill

All your praises they shall ring

If it be your will

To let me sing

If it be your will

If there is a choice

Let the rivers fill

Let the hills rejoice

Let your mercy spill

On all these burning hearts in hell

If it be your will

To make us well

And draw us near

And bind us tight

All your children here

In their rags of light

In our rags of light

All dressed to kill

And end this night

If it be your will

If it be your will

- 끝 -

거짓과 상상
혹은
죄와 벌

남킹 장편소설

남킹 컬렉션 #002

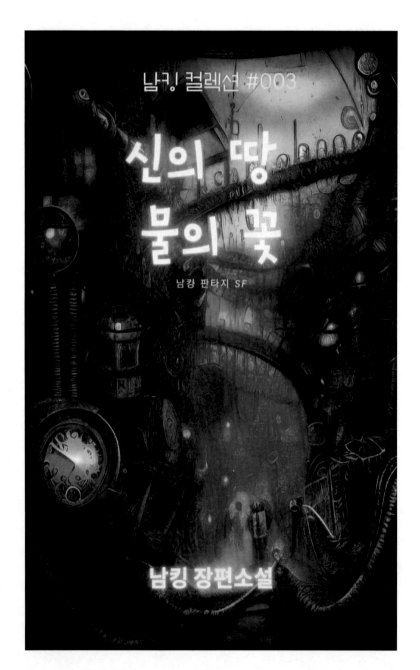

신의 땅 물의 곳

그레고리 흘라디의 묘한 죽음

남킹

남킹 컬렉션 #001

거짓과 상상
혹은
죄와 벌

남킹 장편소설

신의 땅
물의 꽃

남킹 장편소설

남킹 컬렉션 #003

심해
DEEP SEA

남킹 SF 장편소설

남킹 컬렉션 #004

남킹 컬렉션 #005

당신을 만나러 갑니다

남킹 사랑 이야기

파벨 예언서

떠오르는 위협

남킹 장편소설

남킹 컬렉션 #008

리셋
Reset

남킹 SF 소설집

남킹 컬렉션 010

남킹 컬렉션 #011

1월의 비

남킹 감성 소설집

남킹 컬렉션 #012

남킹의 문장 1

언어의 마법사 남킹의 문장들

남킹 컬렉션 #013

남킹의 문장 2

언어의 마법사 남킹의 문장들

남킹의 문장
3

언어의 마법사 남킹의 문장들

남킹 컬렉션 #014

남킹 판타지 소설집

하니은 매화

남킹 컬렉션 #015

남킹 컬렉션 #16

남킹의 문장
4

남킹 컬렉션 #017

스네이크 아일랜드

1권
죽고싶지만 복수는 하고 싶어

남킹 판타지 스릴러

남킹 컬렉션 #019

이방인

남킹 장편소설

거리를
비워두세요

남킹 음악 에세이

남킹 컬렉션 #020

사랑 그 쓸쓸함
에 대하여

남킹 음악산문

남킹 컬렉션 #021

남킹의 문장 1
브런치 스토리

남 킹

남 킹 컬렉션 #022

알리칸테는
언제나 맑음

남킹 에세이

남킹 컬렉션 #023

서글픈 나의 사랑

남킹 장편소설

남킹 컬렉션 #025

남킹 SF
소설집

브런치 스토리

남킹 컬렉션 #026

브런치 스토리

남킹 사랑 소설집

남킹 컬렉션 #028